Wilhelm Tell

D1482385

Friedrich Schiller

# Wilhelm Tell

Ernst Klett Sprachen
Stuttgart

1. Auflage    1   10 9 8 | 2023 22 21

Reihenkonzept: Sebastian Weber
Comic-Strips: Pixelcloud GmbH & Co. KG, Ludwigsburg
Konzeption: Lena Fritschle
Illustration: Marcel Durer
Projektleitung: Jonas Kirchner

Annotationen und Anhang: Sylvia Klötzer, Berlin

Redaktion: Sylvia Klötzer, Berlin
Layoutkonzeption: Sandra Vrabec
Satz: Satzkasten, Stuttgart
Umschlaggestaltung: Sandra Vrabec
Titelbild: BigStockphoto.com (Candyman), New York
Druck und Bindung: Plump Druck & Medien GmbH, Rheinbreitbach
Printed in Germany

ISBN 978-3-12-666781-4

# Inhalt

## Vorwort

### Klassiker trifft Comic …

Klassiker bleiben Klassiker: Sie werden in der Schule gelesen, aber ihre Lektüre stößt nicht immer auf große Begeisterung im Unterricht. Klassiker sind aber auch Klassiker, weil die Themen, die sie aufgreifen, im wahrsten Sinne des Wortes „klassisch", also auch heute noch aktuell sind: Denn sie können uns noch immer ansprechen und berühren, ... wenn sie erst mal gelesen sind!

Mit diesem Buch fällt's leichter, denn der **Comic-Teil** zum Einstieg zeigt dir mit Witz und Humor, worum es überhaupt geht:
Warum muss Wilhelm Tell dem eigenen Sohn einen Apfel vom Kopf schießen? Wer zwingt ihn dazu? Aus welchem Grund? Welche eingeschworene Gemeinschaft trifft sich da nachts heimlich auf dem Rütli? Und welches Drama spielt sich in der Hohlen Gasse ab?
Entscheide in den heiklen Handlungsmomenten selbst, wie es weitergehen wird… Du wirst dich wundern!

Nachdem du weißt, worum es geht, ist das Lesen des **Originaltexts** gleich viel leichter. Wo's schwierig wird, gibt es außerdem zusätzliche (Wort-)Erklärungen, die dir helfen.

Und zum Schluss findest du wichtige Informationen zu Schillers **Leben und Werk**. Die kurzen Lupen-Texte greifen interessante Details auf. Und natürlich darf zum Ausklang zu Schillers schillerndem Leben ein kurzer Comic-Strip nicht fehlen.

Probiere es aus: **WILHELM TELL - ganz anders als du denkst!**

Pudelskern präsentiert:

# Wilhelm Tell

frei nach Friedrich Schiller

31 Seiten
4 Fragen
1 Drama

**Der treffsichere Schiller!**

**Familie Tell: Wilhelm, Hedwig und Söhne:**
Der Alpenjäger ist ein hilfsbereiter Naturbursche, der landesweit für seine Schießkünste gefeiert wird. Die Familie führt auf ihrem idyllisch gelegenen Berghof ein ruhiges Leben. Politisch ist sie eher desinteressiert. Sie hat sich mit der österreichischen Vorherrschaft arrangiert und glaubt, die Zeit werde die Dinge schon regeln.

**Konrad Baumgarten:**
Der gut situierte Eigentümer eines Bauernhofes ist glücklich verheiratet, doch gerade die Attraktivität seiner Gattin droht dem glühenden Patrioten zum Verhängnis zu werden.

**Werner, Freiherr von Attinghausen:**
Der bereits 85–jährige Adelsmann ist schwer erkrankt. Die Sorge darüber, dass sein geliebtes Vaterland komplett in österreichische Hand fallen könnte, ist seinem Herzleiden wenig zuträglich...

**Reichsvogt Herrmann Gessler:**
Eigentlich vom österreichischen Kaiser dazu eingesetzt, für Recht und Ordnung zu sorgen, hasst er das selbstbewusste Schweizer Völkchen. Er lässt keine Gelegenheit aus, dieses zu demütigen und mit der Nase darauf zu stoßen, wer die Vormachtstellung hat.

1307, in der von Österreich beschützten Schweiz...

... am idyllischen Vierwaldstätter See.

Ein Sturm zieht auf. Du musst mir helfen!

Waaaah!

Niemand sonst traut sich, mich über den See zu bringen!

Derweil auf dem Altdorfer Marktplatz...

... und deswegen wird zukünftig ein Steuersatz auf die Löcher des Schweizer Käses erhoben...

... zu entrichten an ... MICH, den Landvogt des österreichischen Kaisers.

SCHOCK!

Komm her, du Schweizer Praline!

IEKS!

13

Und als Nächstes kommt eine Steuer auf die Luft im goldenen Schokohasen, oder was?

Zweifelt da jemand an meiner Autorität? Bringt mir meinen Hut!

Ihr seht diesen Hut!

Ab sofort verbeugt ihr euch, wenn ihr an ihm vorbeigeht...

... als wäre ich es. Oder ihr werdet automatisch zu meinen Leibeigenen!

Los, los, ich will Bücklinge sehen!

Wutentbrannt greifen die Schweizer zur Feder, um ihren Verwandten in sämtlichen Kantonen ...

... über die neuste Missetat des Landvogts zu berichten.

Was macht ihr da?

**15**

Wenig später haben sich Schweizer aller Kantone...

... auf dem Rütli zusammengefunden.

Rütli

... SKANDAL!...

... Schützt die Schokohasen!...

... Wir waren lange genug NEUTRAL!...

... Frechheit!...

Selbst meinen Neffen haben sie umgedreht... Er schämt sich dafür, zu unserem „Bauernadel" zu gehören...

... und das alles nur, weil er sich in diese Österreicherin Bertha verliebt hat...

SCHOCK

Aber eigentlich tut das nichts zur Sache...

Hört her!

Wir müssen jetzt zusammenhalten. Wir sind doch ein Volk! Lasst uns die alte Eidgenossenschaft erneuern!

Wir haben uns als stolzes Volk freiwillig unter den Schutz des österreichischen Kaisers begeben und ihm dafür Waffendienste zugesagt.

18

Wir wollen sein ein einzig Volk von Brüdern,
In keiner Not uns trennen und Gefahr!
Wir wollen frei sein, wie die Väter waren,
Eher den Tod, als in der Knechtschaft leben.
Wir wollen trauen auf den höchsten Gott
Und uns nicht fürchten vor der Macht der Menschen.

So, Feierabend!

Macht Werbung
für unsere Sache
und spart eure Energie
für den Tag der Rache!

Derweil bei Familie Tell...

Was soll Wilhelm Tell tun? Dem Wort seiner liebenden Ehefrau Folge leisten und im familiären Idyll verbleiben oder sein gefährliches Versprechen einlösen, im Fall des Falles für sein Land einzustehen?

Abendessen
Lies weiter auf Seite 21

Freiheitskampf
Lies weiter auf Seite 22

Wie es laut Schiller weiterging, erfährst du auf Seite 22.

Und denkst du daran, den Müll rauszubringen?

Schatz?

Und so machten sich Vater und Sohn auf nach Altdorf.

Wir wollten doch sowieso Opa besuchen. Da können wir auch gleich einen Blick auf die Lage werfen.

Wenn du brav bist, bringt er dir vielleicht auch das Schießen bei...

... so wie mir damals. Meine berühmten Schießkünste verdanke ich ihm.

WACHEN! Verhaftet ihn!

22

Du bist doch der berühmte Schütze Wilhelm Tell, oder?

Ich lass dich frei, falls du diesen Apfel...

... vom Kopf deines Sohnes triffst!

Aber...

Lasst den Jungen aus dem Spiel! Ich tue, was immer sonst ihr gebietet, aber lasst ihn gehen!

Schieß – oder ihr verrottet beide im Kerker!

Wie soll Wilhelm Tell reagieren? Riskiert er den Tod seines eigenen Sohnes und schießt auf den Apfel, oder nutzt er die Gunst des Moments und wählt den Landvogt als Ziel?

Auf den Vogt zielen
Lies weiter auf Seite 26

Auf den Apfel zielen
Lies weiter auf Seite 27

Und so wurde aus Wilhelm Tells legendärem...

... ADAMSAPFELSchuss ...

... der Startschuss einer Revolution.

Alle waren glücklich und zufrieden...

... bis auf einen.

Da macht man sich die Mühe, schreibt seitenweise, und dann drückt der Idiot doch tatsächlich zu früh ab...

ENDE

Wie es laut ihm weiterging, erfährst du auf Seite 27.

WHOOOOSH!

PLÖP!

JUBEL!!!!

Sehr schön, doch wofür hast du den zweiten Pfeil aus dem Köcher gezogen?

27

29

Was soll Wilhelm Tell tun, um dieses Dilemma zu lösen? An seiner Moral und dem Glauben festhalten, dass die Zeit die Dinge regeln werde und sich als braver Mann dem Wort des Landvogts und damit der Autorität der Österreicher unterwerfen, oder zum Schutze seiner Familie und zur Freude des Volkes seinen Pfeil zum tödlichen Schuss auf Gessler richten?

Es lebe die Krone!
Lies weiter auf Seite 32

Nieder mit der Drachenbrut!
Lies weiter auf Seite 33

33

... mit Erfolg!

Sogar für meinen Neffen und diese Bertha gibt es ein Happy End!

Sie hat sich als Unterstützerin unserer Sache erwiesen, ...

...ihn auf den rechten Pfad eines aufrechten Eidgenossen zurückgeführt und wird in Kürze meine Schwiegernichte sein!

AAAAW!

... aber eigentlich tut das immer noch nichts zur Sache.

36

Und doch sind wir Brüder im Geiste, beide nahmen wir ein Leben! Du musst mich verstehen! Immerhin hast du den Vogt ja auch nur aus Vergeltung erschossen, weil er deinen Sohn als Zielscheibe benutzte, und nicht, um dein Land zu retten, auch wenn es diesen netten Nebeneffekt hatte ... das soll besser sein als meine Tat?

Welche Position soll Wilhelm Tell einnehmen? Macht es einen Unterschied, aus welchem Grund man mordet?

**Mord ist Mord!**
Lies weiter auf Seite 38

**Familie vor Rachsucht!**
Lies weiter auf Seite 39

Und so wurde die Schweiz zu einem sicheren Zufluchtsort – nicht nur für Banker und Steuerhinterzieher...

ENDE

Wie es laut Schiller weiterging, erfährst du auf Seite 39.

Friedrich Schiller

# Wilhelm Tell

Friedrich Schiller

# Wilhelm Tell

**Schauspiel**

**Zum Neujahrsgeschenk auf 1805**

# Personen:

HERRMANN GESSLER, Reichsvogt in Schwyz und Uri

WERNER, FREIHERR VON ATTINGHAUSEN, Bannerherr

ULRICH VON RUDENZ, sein Neffe

Landleute aus Schwyz:
5 WERNER STAUFFACHER
KONRAD HUNN
ITEL REDING
HANS AUF DER MAUER
JÖRG IM HOFE
10 ULRICH DER SCHMIED
JOST VON WEILER

Landleute aus Uri:
WALTHER FÜRST
WILHELM TELL
15 RÖSSELMANN, der Pfarrer
PETERMANN, der Sigrist
KUONI, der Hirte
WERNI, der Jäger
RUODI, der Fischer

20 Landleute aus Unterwalden:
ARNOLD VOM MELCHTHAL
KONRAD BAUMGARTEN
MEIER VON SARNEN
STRUTH VON WINKELRIED
25 KLAUS VON DER FLÜE
BURKHARDT AM BÜHEL
ARNOLD VON SEWA

PFEIFFER von Luzern

KUNZ VON GERSAU

1 **Reichsvogt** Ranghöchster Verwalter im Auftrag des Königs; hat Richterfunktion – 1 **Schwyz, Uri** Schweizer Kantone – 2 **Bannerherr** Adeliger, der das Recht hat, die Kriegsfahne (das Banner) zu führen – 16 **Sigrist** Küster; Kirchenangestellter – 20 **Unterwalden** Schweizer Kanton

JENNI, Fischerknabe

SEPPI, Hirtenknabe

GERTRUD, Stauffachers Gattin

HEDWIG, Tells Gattin, Fürsts Tochter

5  BERTHA VON BRUNECK, eine reiche Erbin

Bäuerinnen:
ARMGARD
MECHTHILD
ELSBETH
10 HILDEGARD

Tells Knaben:
WALTHER
WILHELM

Söldner:
15 FRIESSHARDT
LEUTHOLD

RUDOLF DER HARRAS, Gesslers Stallmeister

JOHANNES PARRICIDA, Herzog von Schwaben

STÜSSI, der Flurschütz

20 DER STIER VON URI

EIN REICHSBOTE

FRONVOGT

MEISTER STEINMETZ, GESELLEN UND HANDLANGER

ÖFFENTLICHE AUSRUFER

25 BARMHERZIGE BRÜDER

GESSLERISCHE UND LANDENBERGISCHE REITER

VIELE LANDLEUTE, MÄNNER UND WEIBER AUS DEN WALDSTÄTTEN

19 **Flurschütz** ein Knecht, der die Felder bewachen muss – 22 **Fronvogt** Beamter, der die Fron (die abzuleistenden Dienste) überwacht – 27 **Waldstätte** (*sg.:* die Waldstatt) Kantone (*hier:* Schwyz, Uri, Unterwalden)

# ERSTER
# AUFZUG

# Erste Szene

*Hohes Felsenufer des Vierwaldstättensees, Schwyz gegenüber. Der See macht eine Bucht ins Land, eine Hütte ist unweit dem Ufer, Fischerknabe fährt sich in einem Kahn. Über den See hinweg sieht man die grünen*
5 *Matten, Dörfer und Höfe von Schwyz im hellen Sonnenschein liegen. Zur Linken des Zuschauers zeigen sich die Spitzen des Haken, mit Wolken umgeben; zur Rechten im fernen Hintergrund sieht man die Eisgebirge. Noch ehe der Vorhang aufgeht, hört man den Kuhreihen*
10 *und das harmonische Geläut der Herdenglocken, welches sich auch bei eröffneter Szene noch eine Zeitlang fortsetzt.*

FISCHERKNABE *(singt im Kahn. Melodie des Kuhreihens)*:
Es lächelt der See, er ladet zum Bade,
Der Knabe schlief ein am grünen Gestade,
15 Da hört er ein Klingen,
Wie Flöten so süß,
Wie Stimmen der Engel
Im Paradies.

Und wie er erwachet in seliger Lust,
20 Da spülen die Wasser ihm um die Brust,
Und es ruft aus den Tiefen:
Lieb Knabe, bist mein!
Ich locke den Schläfer,
Ich zieh ihn herein.

25 HIRTE *(auf dem Berge. Variation des Kuhreihens)*:
Ihr Matten lebt wohl!
Ihr sonnigen Weiden!
Der Senne muss scheiden,
Der Sommer ist hin.

---

1 **Vierwaldstättensee** verbindet die vier Waldstätte (Kantone) in der Zentralschweiz: Uri, Schwyz, Unterwalden sowie Luzern – 5 **Matten** Wiesen, Weiden – 7 **Haken** Name eines Berges – 9 **der Kuhreihen** Singsang und/oder melodisches Rufen, um die Kühe zusammenzutreiben – 28 **der Senne** der Alphirte

Wir fahren zu Berg, wir kommen wieder,
Wenn der Kuckuck ruft, wenn erwachen die Lieder,
Wenn mit Blumen die Erde sich kleidet neu,
Wenn die Brünnlein fließen im lieblichen Mai.
5   Ihr Matten lebt wohl,
Ihr sonnigen Weiden!
Der Senne muss scheiden
Der Sommer ist hin.

ALPENJÄGER *(erscheint gegenüber auf der Höhe des Felsen.*
10  *Zweite Variation)*:
Es donnern die Höhen, es zittert der Steg,
Nicht grauet dem Schützen auf schwindlichtem Weg,
Er schreitet verwegen
Auf Feldern von Eis,
15  Da pranget kein Frühling,
Da grünet kein Reis;
Und unter den Füßen ein nebliches Meer,
Erkennt er die Städte der Menschen nicht mehr,
Durch den Riss nur der Wolken
20  Erblickt er die Welt,
Tief unter den Wassern
Das grünende Feld.


*Die Landschaft verändert sich, man hört ein dumpfes*
*Krachen von den Bergen, Schatten von Wolken laufen*
25  *über die Gegend.*

*Ruodi der Fischer kommt aus der Hütte. Werni der Jäger*
*steigt vom Felsen. Kuoni der Hirte kommt, mit dem*
*Melknapf auf der Schulter. Seppi, sein Handbube, folgt*
*ihm.*

30  RUODI:  Mach hurtig, Jenni. Zieh die Naue ein.
Der graue Talvogt kommt, dumpf brüllt der Firn,
Der Mythenstein zieht seine Haube an,

30 **der Nauen** Kahn; *pl.* Naue – 31 **der graue Talvogt** Wolkenformation: Anzeichen für
Regenwetter

Und kalt her bläst es aus dem Wetterloch,
Der Sturm, ich mein, wird da sein, eh wir's denken.

KUONI: 's kommt Regen, Fährmann. Meine Schafe fressen
Mit Begierde Gras, und Wächter scharrt die Erde.

5 WERNI: Die Fische springen, und das Wasserhuhn
Taucht unter. Ein Gewitter ist im Anzug.

KUONI *(zum Buben)*:
Lug, Seppi, ob das Vieh sich nicht verlaufen.

SEPPI: Die braune Lisel kenn ich am Geläut.

10 KUONI: So fehlt uns keine mehr, die geht am weitsten.

RUODI: Ihr habt ein schön Geläute, Meister Hirt.

WERNI:
Und schmuckes Vieh – Ist's Euer eignes, Landsmann?

KUONI: Bin nit so reich – 's ist meines gnäd'gen Herrn,
15 Des Attinghäusers, und mir zugezählt.

RUODI: Wie schön der Kuh das Band zu Halse steht.

KUONI: Das weiß sie auch, dass sie den Reihen führt,
Und nähm ich ihr's, sie hörte auf zu fressen.

RUODI: Ihr seid nicht klug! Ein unvernünft'ges Vieh –

20 WERNI: Ist bald gesagt. Das Tier hat auch Vernunft,
Das wissen *wir*, die wir die Gemsen jagen,
Die stellen klug, wo sie zur Weide gehn,
'ne Vorhut aus, die spitzt das Ohr und warnet
Mit heller Pfeife, wenn der Jäger naht.

25 RUODI *(zum Hirten)*: Treibt Ihr jetzt heim?

KUONI: Die Alp ist abgeweidet.

WERNI: Glücksel'ge Heimkehr, Senn!

---

8 **lugen** (nach)schauen

KUONI: Die wünsch ich Euch,
Von Eurer Fahrt kehrt sich's nicht immer wieder.

RUODI: Dort kommt ein Mann in voller Hast gelaufen.

WERNI: Ich kenn ihn, 's ist der Baumgart von Alzellen.

*Konrad Baumgarten atemlos hereinstürzend.*

BAUMGARTEN: Um Gottes willen, Fährmann, Euren Kahn!

RUODI: Nun, nun, was gibt's so eilig?

BAUMGARTEN: Bindet los!
Ihr rettet mich vom Tode! Setzt mich über!

KUONI: Landsmann, was habt Ihr?

WERNI: Wer verfolgt Euch denn?

BAUMGARTEN *(zum Fischer)*:
Eilt, eilt, sie sind mir dicht schon an den Fersen!
Des Landvogts Reiter kommen hinter mir,
Ich bin ein Mann des Tods, wenn sie mich greifen.

RUODI: Warum verfolgen Euch die Reisigen?

BAUMGARTEN:
Erst rettet mich, und dann steh ich Euch Rede.

WERNI: Ihr seid mit Blut befleckt, was hat's gegeben?

BAUMGARTEN: Des Kaisers Burgvogt, der auf Roßberg saß –

KUONI: Der Wolfenschießen? Lässt Euch *der* verfolgen?

BAUMGARTEN:
*Der* schadet nicht mehr, ich hab ihn erschlagen.

---

4 **von Alzellen** aus dem Ort Alzellen (Altzellen) in Unterwalden – 14 **der Landvogt** oberster
Verwalter eines Landkreises; *hier:* des Kantons Unterwalden – 16 **die Reisigen** berittene
Soldaten – 20 **der Burgvogt** niederer Verwalter (*hier heißt er* Wolfenschießen), eingesetzt vom
Landvogt des Kantons (*hier heißt er* Landenberg). Seine Residenz ist die Burg Roßberg

ALLE *(fahren zurück)*:
Gott sei Euch gnädig! Was habt Ihr getan?

BAUMGARTEN: Was jeder freie Mann an meinem Platz!
Mein gutes Hausrecht hab ich ausgeübt
5    Am Schänder meiner Ehr' und meines Weibes.

KUONI: Hat Euch der Burgvogt an der Ehr' geschädigt?

BAUMGARTEN: Dass er sein bös Gelüsten nicht vollbracht,
Hat Gott und meine gute Axt verhütet.

WERNI: Ihr habt ihm mit der Axt den Kopf zerspalten?

10   KUONI: O, lasst uns alles hören, Ihr habt Zeit,
Bis er den Kahn vom Ufer losgebunden.

BAUMGARTEN: Ich hatte Holz gefällt im Wald, da kommt
Mein Weib gelaufen in der Angst des Todes.
»Der Burgvogt lieg' in meinem Haus, er hab'
15   Ihr anbefohlen, ihm ein Bad zu rüsten.
Drauf hab' er Ungebührliches von ihr
Verlangt, sie sei entsprungen, mich zu suchen.«
Da lief ich frisch hinzu, so wie ich war,
Und mit der Axt hab ich ihm 's Bad gesegnet.

20   WERNI:
Ihr tatet wohl, kein Mensch kann Euch drum schelten.

KUONI: Der Wüterich! Der hat nun seinen Lohn!
Hat's lang verdient ums Volk von Unterwalden.

BAUMGARTEN:
25   Die Tat ward ruchbar, mir wird nachgesetzt
Indem wir sprechen – Gott – verrinnt die Zeit –

*(Es fängt an zu donnern.)*

KUONI:

Frisch, Fährmann – schaff den Biedermann hinüber.

RUODI: Geht nicht. Ein schweres Ungewitter ist
Im Anzug. Ihr müsst warten.

5 BAUMGARTEN: Heil'ger Gott!
Ich kann nicht warten. Jeder Aufschub tötet –

KUONI *(zum Fischer)*:
Greif an mit Gott, dem Nächsten muss man helfen,
Es kann uns allen Gleiches ja begegnen.

10 *(Brausen und Donnern.)*

RUODI: Der Föhn ist los, Ihr seht, wie hoch der See geht,
Ich kann nicht steuern gegen Sturm und Wellen.

BAUMGARTEN *(umfasst seine Knie)*:
So helf Euch Gott, wie Ihr Euch mein erbarmet –

15 WERNI: Es geht ums Leben, sei barmherzig, Fährmann.

KUONI: 's ist ein Hausvater, und hat Weib und Kinder!

*(Wiederholte Donnerschläge.)*

RUODI: Was? Ich hab auch ein Leben zu verlieren,
Hab Weib und Kind daheim, wie er – Seht hin,
20 Wie's brandet, wie es wogt und Wirbel zieht,
Und alle Wasser aufrührt in der Tiefe.
– Ich wollte gern den Biedermann erretten,
Doch es ist rein unmöglich, Ihr seht selbst.

BAUMGARTEN *(noch auf den Knien)*:
25 So muss ich fallen in des Feindes Hand,
Das nahe Rettungsufer im Gesichte!
– Dort liegt's! Ich kann's erreichen mit den Augen,

---

2 **Biedermann** ehrenwerter Mann

Hinüberdringen kann der Stimme Schall,
Da ist der Kahn, der mich hinübertrüge,
Und muss hier liegen, hülflos, und verzagen!

KUONI: Seht, wer da kommt!

5 WERNI: Es ist der Tell aus Bürglen.

*Tell mit der Armbrust.*

TELL: Wer ist der Mann, der hier um Hülfe fleht?

KUONI: 's ist ein Alzeller Mann, er hat sein' Ehr'
Verteidigt, und den Wolfenschieß erschlagen,
10 Des Königs Burgvogt, der auf Roßberg saß –
Des Landvogts Reiter sind ihm auf den Fersen,
Er fleht den Schiffer um die Überfahrt,
Der fürcht't sich vor dem Sturm und will nicht fahren.

RUODI: Da ist der Tell, er führt das Ruder auch,
15 Der soll mir's zeugen, ob die Fahrt zu wagen.

TELL: Wo's not tut, Fährmann, lässt sich alles wagen.

*(Heftige Donnerschläge, der See rauscht auf.)*

RUODI: Ich soll mich in den Höllenrachen stürzen?
Das täte keiner, der bei Sinnen ist.

20 TELL: Der brave Mann denkt an sich selbst zuletzt,
Vertrau auf Gott und rette den Bedrängten.

RUODI: Vom sichern Port lässt sich's gemächlich raten,
Da ist der Kahn und dort der See! Versucht's!

TELL: Der See kann sich, der Landvogt nicht erbarmen,
25 Versuch es, Fährmann!

HIRTEN UND JÄGER: Rett ihn! Rett ihn! Rett ihn!

5 **Bürglen** Ort in Uri – 8 **Alzellen** Altzellen in Unterwalden

RUODI: Und wär's mein Bruder und mein leiblich Kind,
Es kann nicht sein, 's ist heut Simons und Judä,
Da rast der See und will sein Opfer haben.

TELL: Mit eitler Rede wird hier nichts geschafft,
Die Stunde dringt, dem Mann muss Hülfe werden.
Sprich, Fährmann, willst du fahren?

RUODI: Nein, nicht ich!

TELL: In Gottes Namen denn! Gib her den Kahn,
Ich will's mit meiner schwachen Kraft versuchen.

KUONI: Ha, wackrer Tell!

WERNI: Das gleicht dem Weidgesellen!

BAUMGARTEN: Mein Retter seid Ihr und mein Engel, Tell!

TELL: Wohl aus des Vogts Gewalt errett ich Euch,
Aus Sturmes Nöten muss ein andrer helfen.
Doch besser ist's, Ihr fallt in Gottes Hand,
Als in der Menschen!

*(Zu dem Hirten.)*

Landsmann, tröstet Ihr
Mein Weib, wenn mir was Menschliches begegnet,
Ich hab getan, was ich nicht lassen konnte.

*(Er springt in den Kahn.)*

KUONI *(zum Fischer)*:
Ihr seid ein Meister Steuermann. Was sich
Der Tell getraut, das konntet *Ihr* nicht wagen?

RUODI: Wohl bessre Männer tun's dem Tell nicht nach,
Es gibt nicht zwei, wie der ist, im Gebirge.

---

4 **eitel** vergeblich, sinnlos – 11 **Weidgeselle** Jäger

WERNI *(ist auf den Fels gestiegen)*:
Er stößt schon ab. Gott helf dir, braver Schwimmer!
Sieh, wie das Schifflein auf den Wellen schwankt!

KUONI *(am Ufer)*:
5  Die Flut geht drüber weg – Ich seh's nicht mehr.
Doch halt, da ist es wieder! Kräftiglich
Arbeitet sich der Wackre durch die Brandung.

SEPPI: Des Landvogts Reiter kommen angesprengt.

KUONI: Weiß Gott, sie sind's! Das war Hülf in der Not.

10  *Ein Trupp Landenbergischer Reiter.*

ERSTER REITER:
Den Mörder gebt heraus, den ihr verborgen.

ZWEITER: *Des* Wegs kam er, umsonst verhehlt ihr ihn.

KUONI UND RUODI: Wen meint ihr, Reiter?

15  ERSTER REITER *(entdeckt den Nachen)*:
Ha, was seh ich! Teufel!

WERNI *(oben)*:
Ist's der im Nachen, den ihr sucht? – Reit' zu,
Wenn ihr frisch beilegt, holt ihr ihn noch ein.

20  ZWEITER: Verwünscht! Er ist entwischt.

ERSTER *(zum Hirten und Fischer)*:
Ihr habt ihm fortgeholfen,
Ihr sollt uns büßen – Fallt in ihre Herde!
Die Hütte reißet ein, brennt und schlagt nieder!

25  *(Eilen fort.)*

SEPPI *(stürzt nach):* O meine Lämmer!

15 **der Nachen** kleines, offenes Wasserfahrzeug ohne Mast

**56**

KUONI *(folgt)*:  Weh mir! Meine Herde!

WERNI:  Die Wüt'riche!

RUODI *(ringt die Hände)*:  Gerechtigkeit des Himmels,
Wann wird der Retter kommen diesem Lande?

5 *(Folgt ihnen.)*

## Zweite Szene

*Zu Steinen in Schwyz. Eine Linde vor des Stauffachers Hause an der Landstraße, nächst der Brücke.*

*Werner Stauffacher, Pfeiffer von Luzern kommen im Gespräch.*

5 PFEIFFER: Ja, ja, Herr Stauffacher, wie ich Euch sagte.
Schwört nicht zu Östreich, wenn Ihr's könnt vermeiden.
Haltet fest am Reich und wacker wie bisher,
Gott schirme Euch bei Eurer alten Freiheit!

*(Drückt ihm herzlich die Hand und will gehen.)*

10 STAUFFACHER:
Bleibt doch, bis meine Wirtin kommt – Ihr seid
Mein Gast zu Schwyz, ich in Luzern der Eure.

PFEIFFER: Viel Dank! Muss heute Gersau noch erreichen.
– Was ihr auch Schweres mögt zu leiden haben
15 Von eurer Vögte Geiz und Übermut,
Tragt's in Geduld! Es kann sich ändern, schnell,
Ein andrer Kaiser kann ans Reich gelangen.
Seid ihr erst Österreichs, seid ihr's auf immer.

*Er geht ab. Stauffacher setzt sich kummervoll auf eine*
20 *Bank unter der Linde. So findet ihn Gertrud, seine Frau,*
*die sich neben ihn stellt und ihn eine Zeitlang*
*schweigend betrachtet.*

GERTRUD:
So ernst, mein Freund? Ich kenne dich nicht mehr.
25 Schon viele Tage seh ich's schweigend an,
Wie finstrer Trübsinn deine Stirne furcht.

---

6 **Schwört nicht zu Östreich** unterwerft euch nicht Österreich – 11 **Wirtin** Ehefrau; Hausherrin

Auf deinem Herzen drückt ein still Gebresten,
Vertrau es mir, ich bin dein treues Weib,
Und meine Hälfte fodr' ich deines Grams.

*(Stauffacher reicht ihr die Hand und schweigt.)*

5    Was kann dein Herz beklemmen, sag es mir.
Gesegnet ist dein Fleiß, dein Glücksstand blüht,
Voll sind die Scheunen, und der Rinder Scharen,
Der glatten Pferde wohlgenährte Zucht
Ist von den Bergen glücklich heimgebracht
10   Zur Winterung in den bequemen Ställen.
– Da steht dein Haus, reich, wie ein Edelsitz,
Von schönem Stammholz ist es neu gezimmert
Und nach dem Richtmaß ordentlich gefügt,
Von vielen Fenstern glänzt es wohnlich, hell,
15   Mit bunten Wappenschildern ist's bemalt,
Und weisen Sprüchen, die der Wandersmann
Verweilend liest und ihren Sinn bewundert.

STAUFFACHER:
Wohl steht das Haus gezimmert und gefügt,
20   Doch ach – es wankt der Grund, auf den wir bauten.

GERTRUD: Mein Werner, sage, wie verstehst du das?

STAUFFACHER: Vor dieser Linde saß ich jüngst wie heut,
Das schön Vollbrachte freudig überdenkend,
Da kam daher von Küßnacht, seiner Burg,
25   Der Vogt mit seinen Reisigen geritten.
Vor diesem Hause hielt er wundernd an,
Doch ich erhub mich schnell, und unterwürfig,
Wie sich's gebührt, trat ich dem Herrn entgegen,
Der uns des Kaisers richterliche Macht
30   Vorstellt im Lande. Wessen ist dies Haus?
Fragt' er bösmeinend, denn er wusst es wohl.

---

1 **Gebresten** Gebrechen, Leid – 11 **Edelsitz** Haus eines Adeligen – 25 **der Vogt mit seinen Reisigen** der Verwalter (der Kantone Uri und Schwyz, Gessler) und seine berittenen Söldner

Doch schnell besonnen ich entgegn' ihm so:
»Dies Haus, Herr Vogt, ist meines Herrn des Kaisers,
Und Eures und mein Lehen« – da versetzt er:
»Ich bin Regent im Land an Kaisers Statt
5   Und will nicht, dass der Bauer Häuser baue
Auf seine eigne Hand, und also frei
Hinleb', als ob er Herr wär in dem Lande,
Ich werd mich unterstehn, Euch das zu wehren.«
Dies sagend ritt er trutziglich von dannen,
10   Ich aber blieb mit kummervoller Seele,
Das Wort bedenkend, das der Böse sprach.

GERTRUD: Mein lieber Herr und Ehewirt! Magst du
Ein redlich Wort von deinem Weib vernehmen?
Des edeln Ibergs Tochter rühm ich mich,
15   Des vielerfahrnen Manns. Wir Schwestern saßen,
Die Wolle spinnend, in den langen Nächten,
Wenn bei dem Vater sich des Volkes Häupter
Versammelten, die Pergamente lasen
Der alten Kaiser, und des Landes Wohl
20   Bedachten in vernünftigem Gespräch.
Aufmerkend hört ich da manch kluges Wort,
Was der Verständ'ge denkt, der Gute wünscht,
Und still im Herzen hab ich mir's bewahrt.
So höre denn und acht auf meine Rede,
25   Denn was dich presste, sieh, das wusst ich längst.
– Dir grollt der Landvogt, möchte gern dir schaden,
Denn du bist ihm ein Hindernis, dass sich
Der Schwyzer nicht dem neuen Fürstenhaus
Will unterwerfen, sondern treu und fest
30   Beim Reich beharren, wie die würdigen
Altvordern es gehalten und getan. –
Ist's nicht so, Werner? Sag es, wenn ich lüge!

3 **Lehen** (vom Kaiser) verliehenes Land einschl. der dort lebenden Menschen. Diese mussten ihrem Herrn Steuern zahlen oder (Fron-)Dienste leisten – 8 **unterstehen** sich zur Aufgabe machen – 12 **Ehewirt** Ehemann – 18 **die Pergamente der alten Kaiser** die Freiheitsbriefe, die die „Reichsunmittelbarkeit" garantierten. D.h. die Kantone unterstanden direkt dem Kaiser, bzw. dem König, nicht jedoch anderen Fürsten, also auch nicht den Habsburgern

STAUFFACHER:  So ist's, das ist des Gesslers Groll auf mich.

GERTRUD:  Er ist dir neidisch, weil du glücklich wohnst,
　　Ein freier Mann auf deinem eignen Erb',
　　– Denn *er* hat keins. Vom Kaiser selbst und Reich
5　　Trägst du dies Haus zu Lehn, du darfst es zeigen,
　　So gut der Reichsfürst seine Länder zeigt,
　　Denn über dir erkennst du keinen Herrn
　　Als nur den Höchsten in der Christenheit –
　　Er ist ein jüngrer Sohn nur seines Hauses,
10　　Nichts nennt er sein als seinen Rittermantel,
　　Drum sieht er jedes Biedermannes Glück
　　Mit scheelen Augen gift'ger Missgunst an,
　　*Dir* hat er längst den Untergang geschworen –
　　Noch stehst du unversehrt – Willst du erwarten,
15　　Bis er die böse Lust an dir gebüßt?
　　Der kluge Mann baut vor.

STAUFFACHER:  Was ist zu tun!

GERTRUD *(tritt näher)*:
　　So höre meinen Rat! Du weißt, wie hier
20　　Zu Schwyz sich alle Redlichen beklagen
　　Ob dieses Landvogts Geiz und Wüterei.
　　So zweifle nicht, dass sie dort drüben auch
　　In Unterwalden und im Urner Land
　　Des Dranges müd sind und des harten Jochs –
25　　Denn wie der Gessler hier, so schafft es frech
　　Der Landenberger drüben überm See –
　　Es kommt kein Fischerkahn zu uns herüber,
　　Der nicht ein neues Unheil und Gewalt-
　　Beginnen von den Vögten uns verkündet.
30　　Drum tät es gut, dass eurer etliche,
　　Die's redlich meinen, still zu Rate gingen,
　　Wie man des Drucks sich möcht erledigen,

---

11 **Biedermann** ehrenwerter Mann – 15 **gebüßt hat** *hier*: befriedigt hat

So acht ich wohl, Gott würd euch nicht verlassen
Und der gerechten Sache gnädig sein –
Hast du in Uri keinen Gastfreund, sprich,
Dem du dein Herz magst redlich offenbaren?

5 STAUFFACHER: Der wackern Männer kenn ich viele dort
Und angesehen große Herrenleute,
Die mir geheim sind und gar wohl vertraut.

*(Er steht auf.)*

Frau, welchen Sturm gefährlicher Gedanken
10 Weckst du mir in der stillen Brust! Mein Innerstes
Kehrst du ans Licht des Tages mir entgegen,
Und was ich mir zu denken still verbot,
Du sprichst's mit leichter Zunge kecklich aus.
– Hast du auch wohl bedacht, was du mir rätst?
15 Die wilde Zwietracht und den Klang der Waffen
Rufst du in dieses friedgewohnte Tal –
Wir wagten es, ein schwaches Volk der Hirten,
In Kampf zu gehen mit dem Herrn der Welt?
Der gute Schein nur ist's, worauf sie warten,
20 Um loszulassen auf dies arme Land
Die wilden Horden ihrer Kriegesmacht,
Darin zu schalten mit des Siegers Rechten
Und unterm Schein gerechter Züchtigung
Die alten Freiheitsbriefe zu vertilgen.

25 GERTRUD: Ihr seid *auch* Männer, wisset eure Axt
Zu führen, und dem Mutigen hilft Gott!

STAUFFACHER:
O Weib! Ein furchtbar wütend Schrecknis ist
Der Krieg, die Herde schlägt er und den Hirten.

30 GERTRUD: Ertragen muss man, was der Himmel sendet,
Unbilliges erträgt kein edles Herz.

7 **geheim sein** verschwiegen sein

STAUFFACHER:

Dies Haus erfreut dich, das wir neu erbauten.
Der Krieg, der ungeheure, brennt es nieder.

GERTRUD: Wüsst ich mein Herz an zeitlich Gut gefesselt,
5    Den Brand wärf ich hinein mit eigner Hand.

STAUFFACHER:

Du glaubst an Menschlichkeit! Es schont der Krieg
Auch nicht das zarte Kindlein in der Wiege.

GERTRUD: Die Unschuld hat im Himmel einen Freund!
10    – Sieh vorwärts, Werner, und nicht hinter dich!

STAUFFACHER:

Wir Männer können tapfer fechtend sterben,
Welch Schicksal aber wird das eure sein?

GERTRUD:

15    Die letzte Wahl steht auch dem Schwächsten offen,
Ein Sprung von dieser Brücke macht mich frei.

STAUFFACHER *(stürzt in ihre Arme)*:

Wer solch ein Herz an seinen Busen drückt,
Der kann für Herd und Hof mit Freuden fechten,
20    Und keines Königs Heermacht fürchtet er –
Nach Uri fahr ich stehnden Fußes gleich,
Dort lebt ein Gastfreund mir, Herr Walther Fürst,
Der über diese Zeiten denkt wie ich.
Auch find ich dort den edeln Bannerherrn
25    Von Attinghaus – obgleich von hohem Stamm
Liebt er das Volk und ehrt die alten Sitten.
Mit ihnen beiden pfleg ich Rats, wie man
Der Landesfeinde mutig sich erwehrt –
Leb wohl – und weil ich fern bin, führe du
30    Mit klugem Sinn das Regiment des Hauses –
Dem Pilger, der zum Gotteshause wallt,
Dem frommen Mönch, der für sein Kloster sammelt,
Gib reichlich und entlass ihn wohl gepflegt.

Stauffachers Haus verbirgt sich nicht. Zu äusserst
Am offnen Herweg steht's, ein wirtlich Dach
Für alle Wandrer, die des Weges fahren.

*Indem sie nach dem Hintergrunde abgehen, tritt*
5 *Wilhelm Tell mit Baumgarten vorn auf die Szene.*

TELL *(zu Baumgarten)*:
Ihr habt jetzt meiner weiter nicht vonnöten,
Zu jenem Hause gehet ein, dort wohnt
Der Stauffacher, ein Vater der Bedrängten.
10 – Doch sieh, da ist er selber – Folgt mir, kommt!

*(Gehen auf ihn zu, die Szene verwandelt sich.)*

## Dritte Szene

*Öffentlicher Platz bei Altdorf.*

*Auf einer Anhöhe im Hintergrund sieht man eine Feste bauen, welche schon so weit gediehen, dass sich die Form des Ganzen darstellt. Die hintere Seite ist fertig, an der vordern wird eben gebaut, das Gerüste steht noch, an welchem die Werkleute auf und nieder steigen, auf dem höchsten Dach hängt der Schieferdecker. – Alles ist in Bewegung und Arbeit.*

*Fronvogt. Meister Steinmetz. Gesellen und Handlanger.*

FRONVOGT *(mit dem Stabe, treibt die Arbeiter)*:
Nicht lang gefeiert, frisch! Die Mauersteine
Herbei, den Kalk, den Mörtel zugefahren!
Wenn der Herr Landvogt kommt, dass er das Werk
Gewachsen sieht – Das schlendert wie die Schnecken.

*(Zu zwei Handlangern, welche tragen.)*

Heißt das geladen? Gleich das Doppelte!
Wie die Tagdiebe ihre Pflicht bestehlen!

ERSTER GESELL:
Das ist doch hart, dass wir die Steine selbst
Zu unserm Twing und Kerker sollen fahren!

FRONVOGT: Was murret ihr? Das ist ein schlechtes Volk,
Zu nichts anstellig als das Vieh zu melken,
Und faul herumzuschlendern auf den Bergen.

ALTER MANN *(ruht aus)*: Ich kann nicht mehr.

FRONVOGT *(schüttelt ihn)*: Frisch, Alter, an die Arbeit!

---

2 **Feste** Festung – 10 **Fronvogt** Arbeitsaufseher – 17 **bestehlen** vernachlässigen – 20 **Twing** Zwang, Gewalt

**65**

ERSTER GESELL:
Habt ihr denn gar kein Eingeweid, dass Ihr
Den Greis, der kaum sich selber schleppen kann,
Zum harten Frondienst treibt?

5 MEISTER STEINMETZ UND GESELLEN:
's ist himmelschreiend!

FRONVOGT: Sorgt ihr für euch, ich tu, was meines Amts.

ZWEITER GESELL:
Fronvogt, wie wird die Feste denn sich nennen,
10 Die wir da baun?

FRONVOGT: *Zwing Uri* soll sie heißen,
Denn unter dieses Joch wird man euch beugen.

GESELLEN: Zwing Uri!

FRONVOGT: Nun, was gibt's dabei zu lachen?

15 ZWEITER GESELL:
Mit diesem Häuslein wollt ihr Uri zwingen?

ERSTER GESELL:
Lass sehn, wieviel man solcher Maulwurfshaufen
Muss übernander setzen, bis ein Berg
20 Draus wird, wie der geringste nur in Uri!

*(Fronvogt geht nach dem Hintergrund.)*

MEISTER STEINMETZ:
Den Hammer werf ich in den tiefsten See,
Der mir gedient bei diesem Fluchgebäude!

25 *Tell und Stauffacher kommen.*

STAUFFACHER: O hätt ich nie gelebt, um das zu schauen!

---

1 **Eingeweide** Sitz von Herz und Gefühl – 7 **ich tu, was meines Amtes** ich erfülle (nur) meine
Pflicht – 9 **Feste** Festung – 20 **der geringste** der kleinste

TELL: Hier ist nicht gut sein. Lasst uns weitergehn.

STAUFFACHER: Bin ich zu Uri, in der Freiheit Land?

MEISTER STEINMETZ:
O Herr, wenn Ihr die Keller erst gesehn
Unter den Türmen! Ja, wer *die* bewohnt,
Der wird den Hahn nicht fürder krähen hören!

STAUFFACHER: O Gott!

STEINMETZ: Seht diese Flanken, diese Strebepfeiler,
Die stehn, wie für die Ewigkeit gebaut!

TELL: Was Hände bauten, können Hände stürzen.

*(Nach den Bergen zeigend.)*

Das Haus der Freiheit hat uns Gott gegründet.

*(Man hört eine Trommel, es kommen Leute, die einen
Hut auf einer Stange tragen, ein Ausrufer folgt ihnen,
Weiber und Kinder dringen tumultuarisch nach.)*

ERSTER GESELL: Was will die Trommel? Gebet Acht!

MEISTER STEINMETZ: Was für
Ein Fasnachtsaufzug und was soll der Hut?

AUSRUFER: In des Kaisers Namen! Höret!

GESELLEN: Still doch! Höret!

AUSRUFER: Ihr sehet diesen Hut, Männer von Uri!
Aufrichten wird man ihn auf hoher Säule,
Mitten in Altdorf, an dem höchsten Ort,
Und dieses ist des Landvogts Will' und Meinung:
Dem Hut soll gleiche Ehre wie ihm selbst geschehn,

14 **Hut auf der Stange** Hoheitszeichen

Man soll ihn mit gebognem Knie und mit
Entblößtem Haupt verehren – Daran will
Der König die Gehorsamen erkennen.
Verfallen ist mit seinem Leib und Gut
5 Dem Könige, wer das Gebot verachtet.

*(Das Volk lacht laut auf, die Trommel wird gerührt, sie gehen vorüber.)*

ERSTER GESELL: Welch neues Unerhörtes hat der Vogt
Sich ausgesonnen! Wir 'nen *Hut* verehren!
10 Sagt! Hat man je vernommen von dergleichen?

MEISTER STEINMETZ: Wir unsre Kniee beugen einem Hut!
Treibt er sein Spiel mit ernsthaft würd'gen Leuten?

ERSTER GESELL: Wär's noch die kaiserliche Kron'! So ist's
Der Hut von Österreich; ich sah ihn hangen
15 Über dem Thron, wo man die Lehen gibt!

MEISTER STEINMETZ:
Der Hut von Österreich! Gebt Acht, es ist
Ein Fallstrick, uns an Östreich zu verraten!

GESELLEN:
20 Kein Ehrenmann wird sich der Schmach bequemen.

MEISTER STEINMETZ:
Kommt, lasst uns mit den andern Abred' nehmen.

*(Sie gehen nach der Tiefe.)*

TELL *(zum Stauffacher)*:
25 Ihr wisset nun Bescheid. Lebt wohl, Herr Werner!

STAUFFACHER:
Wo wollt Ihr hin? O eilt nicht so von dannen.

---

15 **wo man die Lehen gibt** die (Land-)Güter gegen Steuern bzw. Abgaben verleihen –
22 **Abrede nehmen** sich besprechen

TELL: Mein Haus entbehrt des Vaters. Lebet wohl.

STAUFFACHER: Mir ist das Herz so voll, mit Euch zu reden.

TELL: Das schwere Herz wird nicht durch Worte leicht.

STAUFFACHER: Doch könnten Worte uns zu Taten führen.

5   TELL: Die einz'ge Tat ist jetzt Geduld und Schweigen.

STAUFFACHER: Soll man ertragen, was unleidlich ist?

TELL: Die schnellen Herrscher sind's, die kurz regieren.
    – Wenn sich der Föhn erhebt aus seinen Schlünden,
    Löscht man die Feuer aus, die Schiffe suchen
10  Eilends den Hafen, und der mächt'ge Geist
    Geht ohne Schaden, spurlos, über die Erde.
    Ein jeder lebe still bei sich daheim,
    Dem Friedlichen gewährt man gern den Frieden.

STAUFFACHER: Meint Ihr?

15  TELL: Die Schlange sticht nicht ungereizt.
    Sie werden endlich doch von selbst ermüden,
    Wenn sie die Lande ruhig bleiben sehn.

STAUFFACHER:
    Wir könnten viel, wenn wir zusammenstünden.

20  TELL: Beim Schiffbruch hilft der einzelne sich leichter.

STAUFFACHER: So kalt verlasst Ihr die gemeine Sache?

TELL: Ein jeder zählt nur sicher auf sich selbst.

STAUFFACHER:
    Verbunden werden auch die Schwachen mächtig.

25  TELL: Der Starke ist am mächtigsten *allein*.

STAUFFACHER:
    So kann das Vaterland auf Euch nicht zählen,
    Wenn es verzweiflungsvoll zur Notwehr greift?

6 **unleidlich** nicht zu ertragen – 21 **gemeine** gemeinsame

TELL *(gibt ihm die Hand)*:
Der Tell holt ein verlornes Lamm vom Abgrund,
Und sollte seinen Freunden sich entziehen?
Doch *was* ihr tut, lasst mich aus eurem *Rat*,
5   Ich kann nicht lange prüfen oder wählen,
Bedürft ihr meiner zu bestimmter *Tat*,
Dann ruft den Tell, es soll an mir nicht fehlen.

*(Gehen ab zu verschiedenen Seiten. Ein plötzlicher
Auflauf entsteht um das Gerüste.)*

10  MEISTER STEINMETZ *(eilt hin)*: Was gibt's?

ERSTER GESELL *(kommt vor, rufend)*:
Der Schieferdecker ist vom Dach gestürzt.

*Bertha mit Gefolge.*

BERTHA *(stürzt herein)*:
15  Ist er zerschmettert? Rennet, rettet, helft –
Wenn Hülfe möglich, rettet, hier ist Gold –

*(Wirft ihr Geschmeide unter das Volk.)*

MEISTER: Mit eurem Golde – Alles ist euch feil
Um Gold, wenn ihr den Vater von den Kindern
20  Gerissen und den Mann von seinem Weibe,
Und Jammer habt gebracht über die Welt,
Denkt ihr's mit Golde zu vergüten – Geht!
Wir waren frohe Menschen, eh ihr kamt,
Mit euch ist die Verzweiflung eingezogen.

---

18 **feil** käuflich

BERTHA *(zu dem Fronvogt, der zurückkommt)*:  Lebt er?

*(Fronvogt gibt ein Zeichen des Gegenteils.)*

O unglücksel'ges Schloss, mit Flüchen
Erbaut, und Flüche werden dich bewohnen!

5   *(Geht ab.)*

## Vierte Szene

*Walther Fürsts Wohnung.*

*Walther Fürst und Arnold vom Melchthal treten zugleich ein, von verschiedenen Seiten.*

MELCHTHAL: Herr Walther Fürst –

5 WALTHER FÜRST: Wenn man uns überraschte!
Bleibt, wo Ihr seid. Wir sind umringt von Spähern.

MELCHTHAL:
Bringt Ihr mir nichts von Unterwalden? Nichts
Von meinem Vater? Nicht ertrag ich's länger,
10 Als ein Gefangner müßig hier zu liegen.
Was hab ich denn so Sträfliches getan,
Um mich gleich einem Mörder zu verbergen?
Dem frechen Buben, der die Ochsen mir,
Das trefflichste Gespann, vor meinen Augen
15 Weg wollte treiben auf des Vogts Geheiß,
Hab ich den Finger mit dem Stab gebrochen.

WALTHER FÜRST:
Ihr seid zu rasch. Der Bube war des Vogts,
Von Eurer Obrigkeit war er gesendet,
20 Ihr wart in Straf' gefallen, musstet Euch,
Wie schwer sie war, der Buße schweigend fügen.

MELCHTHAL: Ertragen sollt ich die leichtfert'ge Rede
Des Unverschämten: »Wenn der Bauer Brot
Wollt essen, mög er selbst am Pfluge ziehn!«
25 In die Seele schnitt mir's, als der Bub die Ochsen,
Die schönen Tiere, von dem Pfluge spannte,
Dumpf brüllten sie, als hätten sie Gefühl

---

15 **auf des Vogts Geheiß** auf Anordnung des obersten Verwalters

Der Ungebühr, und stießen mit den Hörnern,
Da übernahm mich der gerechte Zorn,
Und meiner selbst nicht Herr, schlug ich den Boten.

WALTHER FÜRST: O kaum bezwingen wir das eigne Herz,
5    Wie soll die rasche Jugend sich bezähmen!

MELCHTHAL: Mich jammert nur der Vater – Er bedarf
So sehr der Pflege, und sein Sohn ist fern.
Der Vogt ist ihm gehässig, weil er stets
Für Recht und Freiheit redlich hat gestritten.
10    Drum werden sie den alten Mann bedrängen,
Und niemand ist, der ihn vor Unglimpf schütze.
– Werde mit mir was will, ich muss hinüber.

WALTHER FÜRST: Erwartet nur und fasst Euch in Geduld,
Bis Nachricht uns herüber kommt vom Walde.
15    – Ich höre klopfen, geht – Vielleicht ein Bote
Vom Landvogt – Geht hinein – Ihr seid in Uri
Nicht sicher vor des Landenbergers Arm,
Denn die Tyrannen reichen sich die Hände.

MELCHTHAL: Sie lehren uns, was *wir* tun sollten.

20    WALTHER FÜRST: Geht!
Ich ruf Euch wieder, wenn's hier sicher ist.

*(Melchthal geht hinein.)*

Der Unglückselige, ich darf ihm nicht
Gestehen, was mir Böses schwant – Wer klopft?
25    Sooft die Türe rauscht, erwart ich Unglück.
Verrat und Argwohn lauscht in allen Ecken,
Bis in das Innerste der Häuser dringen
Die Boten der Gewalt, bald tät es Not,
Wir hätten Schloss und Riegel an den Türen.

---

1 **Ungebühr** Ungehörigkeit – 8 **ihm gehässig sein** feindlich gesinnt sein – 17 **Landenberg** Landvogt (kaiserl. Verwalter) von Unterwalden

*Er öffnet und tritt erstaunt zurück, da Werner
Stauffacher hereintritt.*

Was seh ich? Ihr, Herr Werner! Nun, bei Gott!
Ein werter, teurer Gast – Kein bessrer Mann
⁵ Ist über diese Schwelle noch gegangen.
Seid hoch willkommen unter meinem Dach!
Was führt Euch her? Was sucht ihr hier in Uri?

STAUFFACHER *(ihm die Hand reichend)*:
Die alten Zeiten und die alte Schweiz.

¹⁰ WALTHER FÜRST:
Die bringt Ihr mit Euch – Sieh, mir wird so wohl,
Warm geht das Herz mir auf bei Eurem Anblick.
– Setzt Euch, Herr Werner – Wie verließet Ihr
Frau Gertrud, Eure angenehme Wirtin,
¹⁵ Des weisen Ibergs hochverständ'ge Tochter?
Von allen Wandrern aus dem deutschen Land,
Die über Meinrads Zell nach Welschland fahren,
Rühmt jeder Euer gastlich Haus – Doch sagt,
Kommt Ihr soeben frisch von Flüelen her,
²⁰ Und habt Euch nirgend sonst noch umgesehn,
Eh Ihr den Fuß gesetzt auf diese Schwelle?

STAUFFACHER *(setzt sich)*:
Wohl ein erstaunlich neues Werk hab ich
Bereiten sehen, das mich nicht erfreute.

²⁵ WALTHER FÜRST:
O Freund, da habt Ihr's gleich mit einem Blicke!

STAUFFACHER: Ein solches ist in Uri nie gewesen –
Seit Menschendenken war kein Twinghof hier,
Und fest war keine Wohnung als das Grab.

³⁰ WALTHER FÜRST:
Ein Grab der Freiheit ist's. Ihr nennt's mit Namen.

14 **Wirtin** Ehefrau – 17 **Welschland** Italien – 19 **Flüelen** Ort in Uri; am Vierwaldstätter See
gelegen – 28 **Twinghof** Festung

STAUFFACHER:

Herr Walther Fürst, ich will Euch nicht verhalten,
Nicht eine müß'ge Neugier führt mich her,
Mich drücken schwere Sorgen – Drangsal hab ich
5 Zu Haus verlassen, Drangsal find ich hier.
Denn ganz unleidlich ist's, was wir erdulden,
Und dieses Dranges ist kein Ziel zu sehn.
Frei war der Schweizer von uralters her,
Wir sind's gewohnt, dass man uns gut begegnet,
10 Ein solches war im Lande nie erlebt,
Solang ein Hirte trieb auf diesen Bergen.

WALTHER FÜRST: Ja, es ist ohne Beispiel, wie sie's treiben!
Auch unser edler Herr von Attinghausen,
Der noch die alten Zeiten hat gesehn,
15 Meint selber, es sei nicht mehr zu ertragen.

STAUFFACHER:

Auch drüben unterm Wald geht Schweres vor,
Und blutig wird's gebüßt – Der Wolfenschießen,
Des Kaisers Vogt, der auf dem Roßberg hauste,
20 Gelüsten trug er nach verbotner Frucht,
Baumgartens Weib, der haushält zu Alzellen,
Wollt er zu frecher Ungebühr missbrauchen,
Und mit der Axt hat ihn der Mann erschlagen.

WALTHER FÜRST: O die Gerichte Gottes sind gerecht!
25 – Baumgarten, sagt Ihr? Ein bescheidner Mann!
Er ist gerettet doch und wohl geborgen?

STAUFFACHER: Euer Eidam hat ihn übern See geflüchtet,
Bei mir zu Steinen halt ich ihn verborgen –
– Noch Greulichers hat mir derselbe Mann
30 Berichtet, was zu Sarnen ist geschehn.
Das Herz muss jedem Biedermanne bluten.

WALTHER FÜRST *(aufmerksam)*: Sagt an, was ist's?

2 **verhalten** etwas zurückhalten – 4 **Drangsal** qualvolle Bedrückung – 25 **ein bescheidner Mann** Mann mit Verstand – 27 **Eidam** Schwiegersohn

STAUFFACHER: Im *Melchthal*, da, wo man
Eintritt bei *Kerns*, wohnt ein gerechter Mann,
Sie nennen ihn den *Heinrich* von der *Halden*,
Und seine Stimm' gilt was in der Gemeinde.

5 WALTHER FÜRST:
Wer kennt ihn nicht! Was ist's mit ihm! Vollendet!

STAUFFACHER: Der Landenberger büßte seinen Sohn
Um kleinen Fehlers willen, ließ die Ochsen,
Das beste Paar, ihm aus dem Pfluge spannen,
10 Da schlug der Knab den Knecht und wurde flüchtig.

WALTHER FÜRST *(in höchster Spannung)*:
Der Vater aber – sagt, wie steht's um den?

STAUFFACHER: Den Vater lässt der Landenberger fodern.
Zur Stelle schaffen soll er ihm den Sohn,
15 Und da der alte Mann mit Wahrheit schwört,
Er habe von dem Flüchtling keine Kunde,
Da lässt der Vogt die Folterknechte kommen –

WALTHER FÜRST *(springt auf und will ihn auf die andre
Seite führen)*: O still, nichts mehr!

20 STAUFFACHER *(mit steigendem Ton)*:
»Ist mir der Sohn entgangen,
So hab ich *dich*!« – Lässt ihn zu Boden werfen,
Den spitz'gen Stahl ihm in die Augen bohren –

WALTHER FÜRST: Barmherz'ger Himmel!

25 MELCHTHAL *(stürzt heraus)*: In die Augen, sagt Ihr?

STAUFFACHER *(erstaunt zu Walther Fürst)*:
Wer ist der Jüngling?

MELCHTHAL *(fasst ihn mit krampfhafter Heftigkeit)*:
In die Augen? Redet!

30 WALTHER FÜRST: O der Bejammernswürdige!

7 **büßen** bestrafen

**76**

STAUFFACHER:  Wer ist's?

*(Da Walther Fürst ihm ein Zeichen gibt.)*

Der Sohn ist's? Allgerechter Gott!

MELCHTHAL:  Und ich
Muss ferne sein! – In seine beiden Augen?

WALTHER FÜRST:
Bezwinget Euch, ertragt es wie ein Mann!

MELCHTHAL:
Um *meiner* Schuld, um *meines* Frevels willen!
– Blind also! Wirklich *blind* und *ganz* geblendet?

STAUFFACHER:
Ich sagt's. Der Quell des Sehn's ist ausgeflossen,
Das Licht der Sonne schaut er niemals wieder.

WALTHER FÜRST:  Schont seines Schmerzens!

MELCHTHAL:  Niemals! Niemals wieder!

*(Er drückt die Hand vor die Augen und schweigt einige
Momente, dann wendet er sich von dem einen zu dem
andern und spricht mit sanfter, von Tränen erstickter
Stimme.)*

O, eine edle Himmelsgabe ist
Das Licht des Auges – Alle Wesen leben
Vom Lichte, jedes glückliche Geschöpf –
Die Pflanze selbst kehrt freudig sich zum Lichte.
Und *er* muss sitzen, fühlend, in der Nacht,
Im ewig Finstern – ihn erquickt nicht mehr
Der Matten warmes Grün, der Blumen Schmelz,
Die roten Firnen kann er nicht mehr schauen –
Sterben ist nichts – doch *leben* und nicht *sehen*,

27 **Firnen** Berggipfel

Das ist ein Unglück – Warum seht ihr mich
So jammernd an? Ich hab zwei frische Augen,
Und kann dem blinden Vater keines geben,
Nicht einen Schimmer von dem Meer des Lichts,
5    Das glanzvoll, blendend, mir ins Auge dringt.

STAUFFACHER:
Ach, ich muss Euren Jammer noch vergrößern,
Statt ihn zu heilen – Er bedarf noch mehr!
Denn alles hat der Landvogt ihm geraubt,
10    Nichts hat er ihm gelassen als den Stab,
Um nackt und blind von Tür zu Tür zu wandern.

MELCHTHAL: Nichts als den Stab dem augenlosen Greis!
Alles geraubt, und auch das Licht der Sonne,
Des Ärmsten allgemeines Gut – Jetzt rede
15    Mir keiner mehr von Bleiben, von Verbergen!
Was für ein feiger Elender bin ich,
Dass ich auf *meine* Sicherheit gedacht,
Und nicht auf *deine* – dein geliebtes Haupt
Als Pfand gelassen in des Wütrichs Händen!
20    Feigherz'ge Vorsicht, fahre hin – Auf nichts
Als blutige Vergeltung will ich denken –
Hinüber will ich – Keiner soll mich halten –
Des Vaters Auge von dem Landvogt fodern –
Aus allen seinen Reisigen heraus
25    Will ich ihn finden – Nichts liegt mir am Leben,
Wenn ich den heißen, ungeheuren Schmerz
In seinem Lebensblute kühle.

*(Er will gehen.)*

WALTHER FÜRST: Bleibt!
30    Was könnt Ihr gegen ihn? Er sitzt zu Sarnen
Auf seiner hohen Herrenburg und spottet
Ohnmächt'gen Zorns in seiner sichern Feste

---

10 **Stab** Bettelstab – 24 **die Reisigen** die berittenen Söldner

MELCHTHAL: Und wohnt' er droben auf dem Eispalast
Des *Schreckhorns* oder höher, wo die *Jungfrau*
Seit Ewigkeit verschleiert sitzt – Ich mache
Mir Bahn zu ihm, mir zwanzig Jünglingen,
5      Gesinnt wie ich, zerbrech ich seine Feste.
Und wenn mir niemand folgt, und wenn ihr alle
Für eure Hütten bang und eure Herden,
Euch dem Tyrannenjoche beugt – die Hirten
Will ich zusammenrufen im Gebirg,
10     Dort unterm freien Himmelsdache, wo
Der Sinn noch frisch ist und das Herz gesund,
Das ungeheuer Grässliche erzählen.

STAUFFACHER *(zu Walther Fürst)*:
Es ist auf seinem Gipfel – wollen wir
15     Erwarten, bis das Äußerste –

MELCHTHAL: Welch Äußerstes
Ist noch zu fürchten, wenn der Stern des Auges
In seiner Höhle nicht mehr sicher ist?
– Sind wir denn wehrlos? Wozu lernten wir
20     Die Armbrust spannen und die schwere Wucht
Der Streitaxt schwingen? Jedem Wesen ward
Ein Notgewehr in der Verzweiflungsangst,
Es stellt sich der erschöpfte Hirsch und zeigt
Der Meute sein gefürchtetes Geweih,
25     Die Gemse reißt den Jäger in den Abgrund –
Der Pflugstier selbst, der sanfte Hausgenoss
Des Menschen, der die ungeheure Kraft
Des Halses duldsam unters Joch gebogen,
Springt auf, gereizt, wetzt sein gewaltig Horn
30     Und schleudert seinen Feind den Wolken zu.

WALTHER FÜRST:
Wenn die drei Lande dächten wie wir drei,
So möchten wir vielleicht etwas vermögen.

2 **Schreckhorn, Jungfrau** Bergnamen – 32 **die drei Lande** die drei Kantone Schwyz, Uri und
Unterwalden

STAUFFACHER: Wenn Uri ruft, wenn Unterwalden hilft,
Der Schwyzer wird die alten Bünde ehren.

MELCHTHAL:
Groß ist in Unterwalden meine Freundschaft,
5 Und jeder wagt mit Freuden Leib und Blut,
Wenn er am andern einen Rücken hat
Und Schirm – O fromme Väter dieses Landes!
Ich stehe nur ein Jüngling zwischen Euch,
Den Vielerfahrnen – meine Stimme muss
10 Bescheiden schweigen in der Landsgemeinde.
Nicht weil ich jung bin und nicht viel erlebte,
Verachtet meinen Rat und meine Rede,
Nicht lüstern jugendliches Blut, mich treibt
Des höchsten Jammers schmerzliche Gewalt,
15 Was auch den Stein des Felsen muss erbarmen.
Ihr selbst seid Väter, Häupter eines Hauses,
Und wünscht Euch einen tugendhaften Sohn,
Der Eures Hauptes heil'ge Locken ehre,
Und Euch den Stern des Auges fromm bewache.
20 O weil Ihr selbst an Eurem Leib und Gut
Noch nichts erlitten, Eure Augen sich
Noch frisch und hell in ihren Kreisen regen,
So sei Euch darum unsre Not nicht fremd.
Auch über Euch hängt das Tyrannenschwert,
25 Ihr habt das Land von Östreich abgewendet,
Kein anderes war meines Vaters Unrecht,
Ihr seid in gleicher Mitschuld und Verdammnis.

STAUFFACHER (zu Walther Fürst):
Beschließet Ihr! Ich bin bereit zu folgen.

30 WALTHER FÜRST: Wir wollen hören, was die edeln Herrn
Von Sillinen, von Attinghausen raten –
Ihr Name, denk ich, wird uns Freunde werben.

---

10 **Landsgemeinde** Versammlung der stimmfähigen Bürger in einem Kanton

MELCHTHAL: Wo ist ein Name in dem Waldgebirg
Ehrwürdiger als Eurer und der Eure?
An solcher Namen echte Währung glaubt
Das Volk, sie haben guten Klang im Lande.
5   Ihr habt ein reiches Erb' von Vätertugend
Und habt es selber reich vermehrt – Was braucht's
Des Edelmanns? Lasst's uns allein vollenden.
Wären wir doch allein im Land! Ich meine,
Wir wollten uns schon selbst zu schirmen wissen.

10  STAUFFACHER:
Die Edeln drängt nicht gleiche Not mit uns,
Der Strom, der in den Niederungen wütet,
Bis jetzt hat er die Höhn noch nicht erreicht –
Doch ihre Hülfe wird uns nicht entstehn,
15  Wenn sie das Land in Waffen erst erblicken.

WALTHER FÜRST:
Wäre ein Obmann zwischen uns und Östreich,
So möchte Recht entscheiden und Gesetz,
Doch der uns unterdrückt, ist unser Kaiser
20  Und höchster Richter – so muss *Gott uns helfen
Durch unsern Arm* – Erforschet *Ihr* die Männer
Von Schwyz, *ich* will in Uri Freunde werben.
Wen aber senden wir nach Unterwalden –

MELCHTHAL: Mich sendet hin – wem läg es näher an –

25  WALTHER FÜRST:
Ich geb's nicht zu, Ihr seid mein Gast, ich muss
Für Eure Sicherheit gewähren!

MELCHTHAL: Lasst mich!
Die Schliche kenn ich und die Felsensteige,
30  Auch Freunde find ich gnug, die mich dem Feind
Verhehlen und ein Obdach gern gewähren.

---

7 **Edelmann** Adeliger – 9 **schirmen** schützen – 17 **Obmann** Schiedsrichter – 26 **nicht zugeben**
nicht zustimmen

STAUFFACHER:

Lasst ihn mit Gott hinübergehn. Dort drüben
Ist kein Verräter – so verabscheut ist
Die Tyrannei, dass sie kein Werkzeug findet.

5      Auch der Alzeller soll uns nid dem Wald
Genossen werben und das Land erregen.

MELCHTHAL:  Wie bringen wir uns sichre Kunde zu,
Dass wir den Argwohn der Tyrannen täuschen?

STAUFFACHER:  Wir könnten uns zu *Brunnen* oder *Treib*

10     Versammeln, wo die Kaufmannsschiffe landen.

WALTHER FÜRST:

So offen dürfen wir das Werk nicht treiben.
– Hört meine Meinung. Links am See, wenn man
Nach Brunnen fährt, dem Mythenstein grad über,

15     Liegt eine Matte heimlich im Gehölz,
Das *Rütli* heißt sie bei dem Volk der Hirten,
Weil dort die Waldung ausgereutet ward.
Dort ist's, wo unsre Landmark und die Eure

*(zu Melchthal)*

20     Zusammengrenzen, und in kurzer Fahrt

*(zu Stauffacher)*

Trägt Euch der leichte Kahn von Schwyz herüber.
Auf öden Pfaden können wir dahin
Bei Nachtzeit wandern und uns still beraten.

25     Dahin mag jeder zehn vertraute Männer
Mitbringen, die herzeinig sind mit uns,
So können wir gemeinsam das Gemeine
Besprechen und mit Gott es frisch beschließen.

---

5 **der Alzeller** Konrad Baumgarten (aus Alzellen, Unterwalden) – 9 **Brunnen, Treib** Orte am Seeufer – 15 **Matte** Wiese, Weide – 15 **heimlich** im Geheimen; geschützt – 16 **Rütli** wörtlich: kleine Rodung; Lichtung – 17 **ausgereutet** gerodet – 27 **das Gemeine** das Gemeinsame

STAUFFACHER: So sei's. Jetzt reicht mir Eure biedre Rechte,
Reicht Ihr die Eure her, und so, wie wir
*Drei Männer* jetzo, unter uns, die Hände
Zusammenflechten, redlich, ohne Falsch,
So wollen wir *drei Länder* auch, zu Schutz
Und Trutz, zusammenstehn auf Tod und Leben.

WALTHER FÜRST UND MELCHTHAL: Auf Tod und Leben!

*(Sie halten die Hände noch einige Pausen lang
zusammengeflochten und schweigen.)*

MELCHTHAL: Blinder, alter Vater!
Du kannst den Tag der Freiheit nicht mehr *schauen,*
Du sollst ihn *hören* – Wenn von Alp zu Alp
Die Feuerzeichen flammend sich erheben,
Die festen Schlösser der Tyrannen fallen,
In deine Hütte soll der Schweizer wallen,
Zu deinem Ohr die Freudenkunde tragen,
Und hell in deiner Nacht soll es dir tagen.

*(Sie gehen auseinander.)*

1 **bieder** verlässlich, ehrenwert

# ZWEITER AUFZUG

# Erste Szene

*Edelhof des Freiherrn von Attinghausen.*

*Ein gotischer Saal mit Wappenschildern und Helmen verziert. Der Freiherr ein Greis von fünfundachtzig Jahren, von hoher edler Statur, an einem Stabe, worauf ein Gemsenhorn, und in ein Pelzwams gekleidet. Kuoni und noch sechs Knechte stehen um ihn her mit Rechen und Sensen. – Ulrich von Rudenz tritt ein in Ritterkleidung.*

RUDENZ: Hier bin ich, Oheim – Was ist Euer Wille?

ATTINGHAUSEN:
Erlaubt, dass ich nach altem Hausgebrauch
Den Frühtrunk erst mit meinen Knechten teile.

*(Er trinkt aus einem Becher, der dann in der Reihe herumgeht.)*

Sonst war ich selber mit in Feld und Wald,
Mit meinem Auge ihren Fleiß regierend,
Wie sie mein Banner führte in der Schlacht,
Jetzt kann ich nichts mehr als den Schaffner machen,
Und kommt die warme Sonne nicht zu mir,
Ich kann sie nicht mehr suchen auf den Bergen.
Und so in enger stets und engerm Kreis,
Beweg ich mich dem engesten und letzten,
Wo alles Leben stillsteht, langsam zu,
Mein Schatte bin ich nur, bald nur mein Name.

---

1 **Edelhof** ein unabhängiger herrschaftlicher Gutsbetrieb – 17 **Banner** Fahne mit Hoheitszeichen

KUONI *(zu Rudenz mit dem Becher)*:
Ich bring's Euch, Junker.

*(Da Rudenz zaudert, den Becher zu nehmen.)*

Trinket frisch! Es geht
5   Aus einem Becher und aus einem Herzen.

ATTINGHAUSEN:  Geht, Kinder, und wenn's Feierabend ist,
Dann reden wir auch von des Lands Geschäften.

*(Knechte gehen ab.)*

*Attinghausen und Rudenz.*

10   ATTINGHAUSEN:  Ich sehe dich gegürtet und gerüstet,
Du willst nach Altdorf in die Herrenburg?

RUDENZ:  Ja, Oheim, und ich darf nicht länger säumen –

ATTINGHAUSEN *(setzt sich)*:
Hast du's so eilig? Wie? Ist deiner Jugend
15   Die Zeit so karg gemessen, dass du sie
An deinem alten Oheim musst ersparen?

RUDENZ:  Ich sehe, dass Ihr meiner nicht bedürft,
Ich bin ein Fremdling nur in diesem Hause.

ATTINGHAUSEN *(hat ihn lange mit den Augen gemustert)*:
20   Ja leider bist du's. Leider ist die Heimat
Zur Fremde dir geworden! – Uli! Uli!
Ich kenne dich nicht mehr. In Seide prangst du,
Die Pfauenfeder trägst du stolz zur Schau,
Und schlägst den Purpurmantel um die Schultern,
25   Den Landmann blickst du mit Verachtung an,
Und schämst dich seiner traulichen Begrüßung.

---

2 **Junker** junger Herr, Edelmann – 23 **Pfauenfeder und Purpurmantel** offizielle Zeichen der
Habsburger Herrscher und ihrer Gefolgschaft

RUDENZ: Die Ehr', die ihm gebührt, geb ich ihm gern,
Das Recht, das er sich nimmt, verweigr' ich ihm.

ATTINGHAUSEN:
Das ganze Land liegt unterm schweren Zorn
Des Königs – Jedes Biedermannes Herz
Ist kummervoll ob der tyrannischen Gewalt,
Die wir erdulden – Dich allein rührt nicht
Der allgemeine Schmerz – Dich siehet man
Abtrünnig von den Deinen auf der Seite
Des Landesfeindes stehen, unsrer Not
Hohnsprechend nach der leichten Freude jagen,
Und buhlen um die Fürstengunst, indes
Dein Vaterland von schwerer Geißel blutet.

RUDENZ:
Das Land ist schwer bedrängt – Warum, mein Oheim?
Wer ist's, der es gestürzt in diese Not?
Es kostete ein einzig leichtes Wort,
Um augenblicks des Dranges los zu sein,
Und einen gnäd'gen Kaiser zu gewinnen.
Weh ihnen, die dem Volk die Augen halten,
Dass es dem wahren Besten widerstrebt.
Um eignen Vorteils willen hindern sie,
Dass die Waldstätte nicht zu Östreich schwören,
Wie ringsum alle Lande doch getan.
Wohl tut es ihnen, auf der Herrenbank
Zu sitzen mit dem Edelmann – den *Kaiser*
Will man zum Herrn, um *keinen Herrn* zu haben.

ATTINGHAUSEN:
Muss ich *das* hören und aus deinem Munde!

RUDENZ: Ihr habt mich aufgefodert, lasst mich enden.
– Welche Person ist's, Oheim, die Ihr selbst

---

5 **Biedermann** ehrenwerter Mann – 13 **schwere Geißel** harte Züchtigung – 20 **die Augen halten** die Augen zuhalten – 23 **dass die Waldstätte nicht zu Östreich schwören** dass die drei Kantone nicht Österreich (den Habsburgern) die Treue schwören, sondern unabhängig bleiben (und nur einen einzigen Herren über sich haben, den Kaiser)

Hier spielt? Habt Ihr nicht höhern Stolz, als hier
Landammann oder Bannerherr zu sein
Und neben diesen Hirten zu regieren?
Wie? Ist's nicht eine rühmlichere Wahl,
5  Zu huldigen dem königlichen Herrn,
Sich an sein glänzend Lager anzuschließen,
Als Eurer eignen Knechte Pair zu sein,
Und zu Gericht zu sitzen mit dem Bauer?

ATTINGHAUSEN:  Ach Uli! Uli! Ich erkenne sie,
10  Die Stimme der Verführung! Sie ergriff
Dein offnes Ohr, sie hat dein Herz vergiftet.

RUDENZ:  Ja, ich verberg es nicht – in tiefer Seele
Schmerzt mich der Spott der Fremdlinge, die uns
Den *Baurenadel* schelten – Nicht ertrag ich's,
15  Indes die edle Jugend rings umher
Sich Ehre sammelt unter Habsburgs Fahnen,
Auf meinem Erb' hier müßig stillzuliegen,
Und bei gemeinem Tagewerk den Lenz
Des Lebens zu verlieren – Anderswo
20  Geschehen Taten, eine Welt des Ruhms
Bewegt sich glänzend jenseits dieser Berge –
*Mir* rosten in der Halle Helm und Schild,
Der Kriegstrommete mutiges Getön,
Der Heroldsruf, der zum Turniere ladet,
25  Er dringt in diese Täler nicht herein,
Nichts als den *Kuhreihn* und der Herdeglocken
Einförmiges Geläut vernehm ich hier.

ATTINGHAUSEN:  Verblendeter, vom eiteln Glanz verführt!
Verachte dein Geburtsland! Schäme dich
30  Der uralt frommen Sitte deiner Väter!
Mit heißen Tränen wirst du dich dereinst
Heimsehnen nach den väterlichen Bergen,

---

2 **Landammann** Land + Amtmann: Bezirksvorsteher – 2 **Bannerherr** Adeliger, der das Recht
hat, die Kriegsfahne (das Banner) zu führen – 7 **Pair** (frz.) Gleichgestellter – 8 **zu Gericht zu
sitzen mit dem Bauer** gemeinsam mit niederen Ständen – 16 **Habsburg** die Habsburger;
österreichische Herrscher – 23 **Kriegstrommete** die Kriegstrompete

Und dieses Herdenreihens Melodie,
Die du in stolzem Überdruss verschmähst,
Mit Schmerzenssehnsucht wird sie dich ergreifen,
Wenn sie dir anklingt auf der fremden Erde.
5  O, mächtig ist der Trieb des Vaterlands!
Die fremde falsche Welt ist nicht für dich,
Dort an dem stolzen Kaiserhof bleibst du
Dir ewig fremd mit deinem treuen Herzen!
Die Welt, sie fodert andre Tugenden,
10  Als du in diesen Tälern dir erworben.
 – Geh hin, verkaufe deine freie Seele,
Nimm Land zu Lehen, werd ein Fürstenknecht,
Da du ein Selbstherr sein kannst und ein Fürst
Auf deinem eignen Erb' und freien Boden.
15  Ach Uli! Uli! Bleibe bei den Deinen!
Geh nicht nach Altdorf – O, verlass sie nicht,
Die heil'ge Sache deines Vaterlands!
 – Ich bin der Letzte meines Stamms. Mein Name
Endet mit mir. Da hängen Helm und Schild,
20  Die werden sie mir in das Grab mitgeben.
Und muss ich denken bei dem letzten Hauch,
Dass du mein brechend Auge nur erwartest,
Um hinzugehn vor diesen neuen Lehenhof,
Und meine edeln Güter, die ich frei
25  Von Gott empfing, von Östreich zu empfangen!

RUDENZ: Vergebens widerstreben wir dem König,
Die Welt gehört ihm, wollen wir allein
Uns eigensinnig steifen und verstocken,
Die Länderkette ihm zu unterbrechen,
30  Die er gewaltig rings um uns gezogen?
*Sein* sind die Märkte, die Gerichte, *sein*
Die Kaufmannsstraßen, und das Saumross selbst,
Das auf dem Gotthard ziehet, muss ihm zollen.
Von seinen Ländern wie mit einem Netz

---

12 **Nimm Land zu Lehen** sich Land (gegen Abgaben) vom Fürsten leihen – 32 **Saumross** das Lastpferd – 33 **der Gotthart** Gebirgspass nach Italien

Sind wir umgarnet rings und eingeschlossen.
– Wird uns das Reich beschützen? Kann es selbst
Sich schützen gegen Östreichs wachsende Gewalt?
Hilft Gott uns nicht, kein Kaiser kann uns helfen.

5   Was ist zu geben auf der Kaiser Wort,
Wenn sie in Geld- und Kriegesnot die Städte,
Die untern Schirm des Adlers sich geflüchtet,
Verpfänden dürfen und dem Reich veräußern?
– Nein, Oheim! Wohltat ist's und weise Vorsicht,

10  In diesen schweren Zeiten der Parteiung
Sich anzuschließen an ein mächtig Haupt.
Die Kaiserkrone geht von Stamm zu Stamm,
*Die* hat für treue Dienste kein Gedächtnis,
Doch um den mächt'gen Erbherrn wohl verdienen,

15  Heißt Saaten in die Zukunft streun.

ATTINGHAUSEN:  Bist du so weise?
Willst heller sehn, als deine edeln Väter,
Die um der Freiheit kostbarn Edelstein
Mit Gut und Blut und Heldenkraft gestritten?

20  – Schiff nach *Luzern* hinunter, frage *dort*,
Wie Östreichs Herrschaft lastet auf den Ländern!
Sie werden kommen, unsre Schaf' und Rinder
Zu zählen, unsre Alpen abzumessen,
Den Hochflug und das Hochgewilde bannen

25  In unsern freien Wäldern, ihren Schlagbaum
An unsre Brücken, unsre Tore setzen,
Mit unsrer Armut ihre Länderkäufe,
Mit unserm Blute ihre Kriege zahlen –
– Nein, wenn wir unser Blut dransetzen sollen,

30  So sei's *für uns* – wohlfeiler kaufen wir
Die Freiheit als die Knechtschaft ein!

---

7 **Schirm des Adlers** unter den Schutz des Kaisers; der (Reichs-)Adler war das Sinnbild für die kaiserliche Gewalt – 12 **von Stamm zu Stamm gehen** die Krone (die Macht) wird nicht vererbt, sondern der Kaiser wird gewählt – 24 **Hochflug und Hochgewilde bannen** das Recht auf Jagd (von Vögeln und Wild) verweigern

RUDENZ: Was können wir,
Ein Volk der Hirten, gegen Albrechts Heere!

ATTINGHAUSEN:
Lern dieses Volk der Hirten kennen, Knabe!
Ich kenn's, ich hab es angeführt in Schlachten,
Ich hab es fechten sehen bei Favenz.
Sie sollen kommen, uns ein Joch aufzwingen,
Das wir entschlossen sind, *nicht* zu ertragen!
– O lerne fühlen, welches Stamms du bist!
Wirf nicht für eiteln Glanz und Flitterschein
Die echte Perle deines Wertes hin –
Das Haupt zu heißen eines *freien* Volks,
Das dir aus Liebe nur sich herzlich weiht,
Das treulich zu dir steht in Kampf und Tod –
*Das* sei dein Stolz, *des* Adels rühme dich –
Die angebornen Bande knüpfe fest,
Ans Vaterland, ans teure, schließ dich an,
Das halte fest mit deinem ganzen Herzen.
Hier sind die starken Wurzeln deiner Kraft,
Dort in der fremden Welt stehst du allein,
Ein schwankes Rohr, das jeder Sturm zerknickt.
O komm, du hast uns lang nicht mehr gesehn,
Versuch's mit uns nur *einen* Tag – nur heute
Geh nicht nach Altdorf – Hörst du? Heute nicht,
Den *einen* Tag nur schenke dich den Deinen!

*(Er fasst seine Hand.)*

RUDENZ:
Ich gab mein Wort – Lasst mich – Ich bin gebunden.

ATTINGHAUSEN *(lässt seine Hand los, mit Ernst)*:
Du bist gebunden – Ja Unglücklicher!
Du bist's, doch nicht durch Wort und Schwur,
Gebunden bist du durch der Liebe Seile!

---

2 **Albrechts Heere** die Truppen v. Albrecht I. v. Habsburg (Lebensdaten: 1255–1308) – 6 **Favenz**
Stadt in Italien – 15 **des Adels sich rühmen** genau auf diese moralische Stärke stolz sein

*(Rudenz wendet sich weg.)*

– Verbirg dich wie du willst. Das Fräulein ist's,
Bertha von Bruneck, die zur Herrenburg
Dich zieht, dich fesselt an des Kaisers Dienst.
5   Das Ritterfräulein willst du dir erwerben
Mit deinem Abfall von dem Land – Betrüg dich nicht!
Dich anzulocken zeigt man dir die Braut,
Doch deiner Unschuld ist sie nicht beschieden.

RUDENZ:  Genug hab ich gehört. Gehabt Euch wohl.

10   *(Er geht ab.)*

ATTINGHAUSEN:
Wahnsinn'ger Jüngling, bleib! – Er geht dahin!
Ich kann ihn nicht erhalten, nicht erretten –
So ist der Wolfenschießen abgefallen
15   Von seinem Land – so werden andre folgen,
Der fremde Zauber reißt die Jugend fort,
Gewaltsam strebend über unsre Berge.
– O unglücksel'ge Stunde, da das Fremde
In diese still beglückten Täler kam,
20   Der Sitten fromme Unschuld zu zerstören!
Das Neue dringt herein mit Macht, das Alte,
Das Würd'ge scheidet, andre Zeiten kommen,
Es lebt ein andersdenkendes Geschlecht!
Was tu ich hier? Sie sind begraben alle,
25   Mit denen ich gewaltet und gelebt.
Unter der Erde schon liegt *meine* Zeit;
Wohl dem, der mit der neuen nicht mehr braucht zu
leben!

*(Geht ab.)*

---

6 **Abfall** sich lossagen, trennen – 14 **der Wolfenschießen** der Verwalter der Burg Roßberg –
25 **walten** etwas führen, herrschen

**92**

## Zweite Szene

*Eine Wiese von hohen Felsen und Wald umgeben.*

*Auf den Felsen sind Steige, mit Geländern, auch Leitern, von denen man nachher die Landleute herabsteigen sieht. Im Hintergrunde zeigt sich der See, über welchem anfangs ein Mondregenbogen zu sehen ist. Den Prospekt schließen hohe Berge, hinter welchen noch höhere Eisgebirge ragen. Es ist völlig Nacht auf der Szene, nur der See und die weißen Gletscher leuchten im Mondenlicht.*

*Melchthal, Baumgarten, Winkelried, Meier von Sarnen, Burkhardt am Bühel, Arnold von Sewa, Klaus von der Flüe und noch vier andere Landleute, alle bewaffnet.*

MELCHTHAL *(noch hinter der Szene)*:
Der Bergweg öffnet sich, nur frisch *mir* nach,
Den Fels erkenn ich und das Kreuzlein drauf,
Wir sind am Ziel, hier ist das Rütli.

*(Treten auf mit Windlichtern.)*

WINKELRIED: Horch!

SEWA: Ganz leer.

MEIER: 's ist noch kein Landmann da. Wir sind
Die ersten auf dem Platz, wir Unterwaldner.

MELCHTHAL: Wie weit ist's in der Nacht?

BAUMGARTEN: Der Feuerwächter
Vom Selisberg hat eben zwei gerufen.

*(Man hört in der Ferne läuten.)*

93

MEIER: Still! Horch!

AM BÜHEL: Das Mettenglöcklein in der Waldkapelle
Klingt hell herüber aus dem Schwyzerland.

VON DER FLÜE:
5  Die Luft ist rein und trägt den Schall so weit.

MELCHTHAL: Gehn einige und zünden Reisholz an,
Dass es loh brenne, wenn die Männer kommen.

*(Zwei Landleute gehen.)*

SEWA: 's ist eine schöne Mondennacht. Der See
10  Liegt ruhig da als wie ein ebner Spiegel.

AM BÜHEL: Sie haben eine leichte Fahrt.

WINKELRIED *(zeigt nach dem See)*: Ha, seht!
Seht dorthin! Seht ihr nichts?

MEIER: Was denn? – Ja, wahrlich!
15  Ein Regenbogen mitten in der Nacht!

MELCHTHAL: Es ist das Licht des Mondes, das ihn bildet.

VON DER FLÜE: Das ist ein seltsam wunderbares Zeichen!
Es leben viele, die das nicht gesehn.

SEWA: Er ist doppelt, seht, ein blässerer steht drüber.

20  BAUMGARTEN: Ein Nachen fährt soeben drunter weg.

MELCHTHAL: Das ist der Stauffacher mit seinem Kahn,
Der Biedermann lässt sich nicht lang erwarten.

*(Geht mit Baumgarten nach dem Ufer.)*

MEIER: Die Urner sind es, die am längsten säumen.

22 **Biedermann** ehrenwerter Mann

AM BÜHEL: Sie müssen weit umgehen durchs Gebirg,
Dass sie des Landvogts Kundschaft hintergehen.

*(Unterdessen haben die zwei Landleute in der Mitte des
Platzes ein Feuer angezündet.)*

MELCHTHAL *(am Ufer)*: Wer ist da? Gebt das Wort!

STAUFFACHER *(von unten)*: Freunde des Landes.

*Alle gehen nach der Tiefe, den Kommenden entgegen. Aus
dem Kahn steigen Stauffacher, Itel Reding, Hans auf der
Mauer, Jörg im Hofe, Konrad Hunn, Ulrich der Schmied,
Jost von Weiler und noch drei andre Landleute,
gleichfalls bewaffnet.*

ALLE *(rufen)*: Willkommen!

*Indem die übrigen in der Tiefe verweilen und sich
begrüßen, kommt Melchthal mit Stauffacher vorwärts.*

MELCHTHAL: O Herr Stauffacher! Ich hab ihn
Gesehn, der *mich* nicht wiedersehen konnte!
Die Hand hab ich gelegt auf seine Augen,
Und glühend Rachgefühl hab ich gesogen
Aus der erloschnen Sonne seines Blicks.

STAUFFACHER:
Sprecht nicht von Rache. Nicht Geschehnes rächen,
Gedrohtem Übel wollen wir begegnen.
– Jetzt sagt, was Ihr im Unterwaldner Land
Geschafft und für gemeine Sach geworben,
Wie die Landleute denken, wie Ihr selbst
Den Stricken des Verrats entgangen seid.

---

2 **die Kundschaft** Auskundschafter, Spione – 24 **gemeine Sach** die gemeinsame Sache

**95**

MELCHTHAL: Durch der Surennen furchtbares Gebirg,
Auf weit verbreitet öden Eisesfeldern,
Wo nur der heisre Lämmergeier krächzt,
Gelangt' ich zu der Alpentrift, wo sich
5   Aus Uri und vom Engelberg die Hirten
Anrufend grüßen und gemeinsam weiden,
Den Durst mir stillend mit der Gletscher Milch,
Die in den Runsen schäumend niederquillt.
In den einsamen Sennhütten kehrt ich ein,
10   Mein eigner Wirt und Gast, bis dass ich kam
Zu Wohnungen gesellig lebender Menschen.
– Erschollen war in diesen Tälern schon
Der Ruf des neuen Greuels, der geschehn,
Und fromme Ehrfurcht schaffte mir mein Unglück
15   Vor jeder Pforte, wo ich wandernd klopfte.
Entrüstet fand ich diese graden Seelen
Ob dem gewaltsam neuen Regiment,
Denn so wie ihre Alpen fort und fort
Dieselben Kräuter nähren, ihre Brunnen
20   Gleichförmig fließen, Wolken selbst und Winde
Den gleichen Strich unwandelbar befolgen,
So hat die alte Sitte hier vom Ahn
Zum Enkel unverändert fortbestanden,
Nicht tragen sie verwegne Neuerung
25   Im altgewohnten gleichen Gang des Lebens.
– Die harten Hände reichten sie mir dar,
Von den Wänden langten sie die rost'gen Schwerter,
Und aus den Augen blitzte freudiges
Gefühl des Muts, als ich die Namen nannte,
30   Die im Gebirg dem Landmann heilig sind,
Den Eurigen und Walthers Fürsts – Was euch
Recht würde dünken, schwuren sie zu tun,
Euch schwuren sie bis in den Tod zu folgen.
– So eilt ich sicher unterm heil'gen Schirm

4 **Alpentrift** Weideland – 8 **Runsen** Graben

Des Gastrechts von Gehöfte zu Gehöfte –
Und als ich kam ins heimatliche Tal,
Wo mir die Vettern viel verbreitet wohnen –
Als ich den Vater fand, beraubt und blind,
Auf fremdem Stroh, von der Barmherzigkeit
Mildtät'ger Menschen lebend –

STAUFFACHER: Herr im Himmel!

MELCHTHAL:
Da weint ich nicht! Nicht in ohnmächt'gen Tränen
Goss ich die Kraft des heißen Schmerzens aus,
In tiefer Brust wie einen teuren Schatz
Verschloss ich ihn und dachte nur auf Taten.
Ich kroch durch alle Krümmen des Gebirgs,
Kein Tal war so versteckt, ich späht es aus,
Bis an der Gletscher eisbedeckten Fuß
Erwartet ich und fand bewohnte Hütten,
Und überall, wohin mein Fuß mich trug,
Fand ich den gleichen Hass der Tyrannei,
Denn bis an diese letzte Grenze selbst
Belebter Schöpfung, wo der starre Boden
Aufhört zu geben, raubt der Vögte Geiz –
Die Herzen alle dieses biedern Volks
Erregt ich mit dem Stachel meiner Worte,
Und unser sind sie all mit Herz und Mund.

STAUFFACHER: Großes habt Ihr in kurzer Frist geleistet.

MELCHTHAL: Ich tat noch mehr. Die beiden Festen sind's,
*Roßberg* und *Sarnen*, die der Landmann fürchtet,
Denn hinter ihren Felsenwällen schirmt
Der Feind sich leicht und schädiget das Land.
Mit eignen Augen wollt ich es erkunden,
Ich war zu Sarnen und besah die Burg.

STAUFFACHER: Ihr wagtet Euch bis in des Tigers Höhle?

MELCHTHAL: Ich war verkleidet dort in Pilgerstracht,
Ich sah den Landvogt an der Tafel schwelgen –
Urteilt, ob ich mein Herz bezwingen kann,
Ich sah den Feind, und ich erschlug ihn nicht.

5 STAUFFACHER:
Fürwahr, das Glück war Eurer Kühnheit hold.

*(Unterdessen sind die andern Landleute*
*vorwärtsgekommen und nähern sich den beiden.)*

Doch jetzo sagt mir, wer die Freunde sind,
10 Und die gerechten Männer, die Euch folgten?
Macht mich bekannt mit ihnen, dass wir uns
Zutraulich nahen und die Herzen öffnen.

MEIER: Wer kennte *Euch* nicht, Herr, in den drei Landen?
Ich bin der Mei'r von Sarnen, dies hier ist
15 Mein Schwestersohn, der Struth von Winkelried.

STAUFFACHER:
Ihr nennt mir keinen unbekannten Namen.
Ein Winkelried wars, der den Drachen schlug
Im Sumpf bei Weiler und sein Leben ließ
20 In diesem Strauß.

WINKELRIED: Das war mein Ahn, Herr Werner.

MELCHTHAL *(zeigt auf zwei Landleute)*:
Die wohnen hinterm Wald, sind Klosterleute
Vom Engelberg – Ihr werdet sie drum nicht
25 Verachten, weil sie *eigne* Leute sind,
Und nicht wie wir frei sitzen auf dem Erbe –
Sie lieben 's Land, sind sonst auch wohl berufen.

STAUFFACHER *(zu den beiden)*:
Gebt mir die Hand. Es preise sich, wer keinem

20 **Strauß** Kampf

Mit seinem Leibe pflichtig ist auf Erden,
Doch Redlichkeit gedeiht in jedem Stande.

KONRAD HUNN:
Das ist Herr Reding, unser Altlandammann.

5 MEIER: Ich kenn ihn wohl. Er ist mein Widerpart,
Der um ein altes Erbstück mit mir rechtet.
– Herr Reding, wir sind Feinde vor Gericht,
Hier sind wir einig.

*(Schüttelt ihm die Hand.)*

10 STAUFFACHER: Das ist brav gesprochen.

WINKELRIED:
Hört ihr? Sie kommen. Hört das Horn von Uri!

*(Rechts und links sieht man bewaffnete Männer mit
Windlichtern die Felsen herabsteigen.)*

15 AUF DER MAUER:
Seht! Steigt nicht selbst der fromme Diener Gottes,
Der würd'ge Pfarrer mit herab? Nicht scheut er
Des Weges Mühen und das Graun der Nacht,
Ein treuer Hirte für das Volk zu sorgen.

20 BAUMGARTEN:
Der Sigrist folgt ihm und Herr Walther Fürst,
Doch nicht den Tell erblick ich in der Menge.

*Walther Fürst, Rösselmann der Pfarrer, Petermann der
Sigrist, Kuoni der Hirt, Werni der Jäger, Ruodi der Fischer
25 und noch fünf andere Landleute, alle zusammen,
dreiunddreißig an der Zahl, treten vorwärts und stellen
sich um das Feuer.*

---

4 **Altlandammann** der alte Bezirksvorsteher – 6 **rechten** sich mit jemandem streiten – 21 **der
Sigrist** der Küster (Kirchenangestellter)

WALTHER FÜRST: So müssen wir auf unserm eignen Erb'
Und väterlichen Boden uns verstohlen
Zusammenschleichen, wie die Mörder tun,
Und bei der Nacht, die ihren schwarzen Mantel
5 Nur dem Verbrechen und der sonnenscheuen
Verschwörung leihet, unser gutes Recht
Uns holen, das doch lauter ist und klar,
Gleichwie der glanzvoll offne Schoß des Tages.

MELCHTHAL:
10 Lasst's gut sein. Was die dunkle Nacht gesponnen,
Soll frei und fröhlich an das Licht der Sonnen.

RÖSSELMANN:
Hört, was mir Gott ins Herz gibt, Eidgenossen!
Wir stehen hier statt einer Landsgemeinde
15 Und können gelten für ein ganzes Volk,
So lasst uns tagen nach den alten Bräuchen
Des Lands, wie wir's in ruhigen Zeiten pflegen,
Was ungesetzlich ist in der Versammlung,
Entschuldige die Not der Zeit. Doch Gott
20 Ist überall, wo man das Recht verwaltet,
Und unter seinem Himmel stehen wir.

STAUFFACHER: Wohl, lasst uns tagen nach der alten Sitte,
Ist es gleich Nacht, so leuchtet unser Recht.

MELCHTHAL: Ist gleich die Zahl nicht voll, das *Herz* ist hier
25 Des ganzen Volks, die *Besten* sind zugegen.

KONRAD HUNN:
Sind auch die alten Bücher nicht zur Hand,
Sie sind in unsre Herzen eingeschrieben.

RÖSSELMANN: Wohlan, so sei der Ring sogleich gebildet.
30 Man pflanze auf die Schwerter der Gewalt.

---

1 **das Erb** ererbtes Land – 7 **lauter** aufrichtig – 30 **man pflanze auf die Schwerter** man richte
die Schwerter auf

AUF DER MAUER:
Der Landesammann nehme seinen Platz,
Und seine Weibel stehen ihm zur Seite!

SIGRIST: Es sind der Völker dreie. Welchem nun
Gebührt's, das Haupt zu geben der Gemeinde?

MEIER: Um diese Ehr' mag Schwyz mit Uri streiten,
Wir Unterwaldner stehen frei zurück.

MELCHTHAL: Wir stehn zurück, wir sind die Flehenden,
Die Hülfe heischen von den mächt'gen Freunden.

STAUFFACHER:
So nehme Uri denn das Schwert, sein Banner
Zieht bei den Römerzügen uns voran.

WALTHER FÜRST: Des Schwertes Ehre werde Schwyz zuteil,
Denn seines Stammes rühmen wir uns alle.

RÖSSELMANN:
Den edeln Wettstreit lasst mich freundlich schlichten,
Schwyz soll im Rat, Uri im Felde führen.

WALTHER FÜRST (reicht dem Stauffacher die Schwerter):
So nehmt!

STAUFFACHER: Nicht mir, dem Alter sei die Ehre.

IM HOFE: Die meisten Jahre zählt Ulrich der Schmied.

AUF DER MAUER:
Der Mann ist wacker, doch nicht freien Stands,
Kein eigner Mann kann Richter sein in Schwyz.

STAUFFACHER:
Steht nicht Herr Reding hier, der Altlandammann?
Was suchen wir noch einen Würdigern?

---

3 **die Weibel** die Amts- und Gerichtsdiener – 9 **heischen** fordern, verlangen – 24 **eigner Mann** ein Leibeigener, ein Knecht

WALTHER FÜRST:
Er sei der Ammann und des Tages Haupt!
Wer dazu stimmt, erhebe seine Hände.

*(Alle heben die rechte Hand auf.)*

5 REDING *(tritt in die Mitte)*:
Ich kann die Hand nicht auf die Bücher legen,
So schwör ich droben bei den ew'gen Sternen,
Dass ich mich nimmer will vom Recht entfernen.

*(Man richtet die zwei Schwerter vor ihm auf, der Ring*
10 *bildet sich um ihn her, Schwyz hält die Mitte, rechts stellt*
*sich Uri und links Unterwalden. Er steht auf sein*
*Schlachtschwert gestützt.)*

Was ist's, das die drei Völker des Gebirgs
Hier an des Sees unwirtlichem Gestade
15 Zusammenführte in der Geisterstunde?
Was soll der Inhalt sein des neuen Bunds,
Den wir hier unterm Sternenhimmel stiften?

STAUFFACHER *(tritt in den Ring)*:
Wir stiften keinen neuen Bund, es ist
20 Ein uralt Bündnis nur von Väter Zeit,
Das wir erneuern! Wisset, Eidgenossen!
Ob uns der See, ob uns die Berge scheiden,
Und jedes Volk sich für sich selbst regiert,
So sind wir *eines* Stammes doch und Bluts,
25 Und *eine* Heimat ist's, aus der wir zogen.

WINKELRIED: So ist es wahr, wie's in den Liedern lautet,
Dass wir von fernher in das Land gewallt?
O, teilt's uns mit, was Euch davon bekannt,
Dass sich der neue Bund am alten stärke.

STAUFFACHER: Hört, was die alten Hirten sich erzählen.
– Es war ein großes Volk, hinten im Lande
Nach Mitternacht, das litt von schwerer Teurung.
In dieser Not beschloss die Landsgemeinde,
Dass jeder zehnte Bürger nach dem Los
Der Väter Land verlasse – das geschah!
Und zogen aus, wehklagend, Männer und Weiber,
Ein großer Heerzug, nach der Mittagsonne,
Mit dem Schwert sich schlagend durch das deutsche
Land,
Bis an das Hochland dieser Waldgebirge.
Und eher nicht ermüdete der Zug,
Bis dass sie kamen in das wilde Tal,
Wo jetzt die Muotta zwischen Wiesen rinnt –
Nicht Menschenspuren waren hier zu sehen,
Nur eine Hütte stand am Ufer einsam,
Da saß ein Mann und wartete der Fähre –
Doch heftig wogete der See und war
Nicht fahrbar; da besahen sie das Land
Sich näher und gewahrten schöne Fülle,
Des Holzes und entdeckten gute Brunnen,
Und meinten, sich im lieben Vaterland
Zu finden – Da beschlossen sie zu bleiben,
Erbaueten den alten Flecken *Schwyz*,
Und hatten manchen sauren Tag, den Wald
Mit weitverschlungnen Wurzeln auszuroden –
Drauf, als der Boden nicht mehr Gnügen tat
Der Zahl des Volks, da zogen sie hinüber
Zum schwarzen Berg, ja, bis ans Weißland hin,
Wo, hinter ew'gem Eiseswall verborgen,
Ein andres Volk in andern Zungen spricht.
Den Flecken *Stanz* erbauten sie am Kernwald,
Den Flecken *Altdorf* in dem Tal der Reuß –
Doch blieben sie des Ursprungs stets gedenk,

---

3 **nach Mitternacht** nach Norden zu

Aus all den fremden Stämmen, die seitdem
In Mitte ihres Lands sich angesiedelt,
Finden die Schwyzer Männer sich heraus,
Es gibt das Herz, das Blut sich zu erkennen.

5      *(Reicht rechts und links die Hand hin.)*

AUF DER MAUER: Ja, wir sind eines Herzens, eines Bluts!

ALLE *(sich die Hände reichend)*:
Wir sind *ein* Volk, und einig wollen wir handeln.

STAUFFACHER: Die andern Völker tragen fremdes Joch,
10      Sie haben sich dem Sieger unterworfen.
Es leben selbst in unsern Landesmarken
Der Sassen viel, die fremde Pflichten tragen,
Und ihre Knechtschaft erbt auf ihre Kinder.
Doch *wir*, der alten Schweizer echter Stamm,
15      Wir haben stets die Freiheit uns bewahrt.
Nicht unter Fürsten bogen wir das Knie,
Freiwillig wählten wir den Schirm der Kaiser.

RÖSSELMANN:
Frei wählten wir des Reiches Schutz und Schirm,
20      So steht's bemerkt in Kaiser Friedrichs Brief.

STAUFFACHER: Denn herrenlos ist auch der Freiste nicht.
Ein Oberhaupt muss sein, ein höchster Richter,
Wo man das Recht mag schöpfen in dem Streit.
Drum haben unsre Väter für den Boden,
25      Den sie der alten Wildnis abgewonnen,
Die Ehr' gegönnt dem Kaiser, der den Herrn
Sich nennt der deutschen und der welschen Erde,
Und wie die andern Freien seines Reichs
Sich ihm zu edelm Waffendienst gelobt,

---

12 **die Sassen** Untertanen; Menschen ohne Bürgerrechte – 17 **der Schirm** der Schutz –
20 **Kaiser Friedrichs Brief** Freiheitsbrief, den Kaiser Friedrich II. verliehen hat. Der Brief
garantierte, nur dem Kaiser untertan zu sein, jedoch keinem anderen Herrscher – 27 **welsche
Erde** romanische (d.h. französische und italienische) Gebiete

Denn dieses ist der Freien einz'ge Pflicht,
Das Reich zu schirmen, das sie selbst beschirmt.

MELCHTHAL: Was drüber ist, ist Merkmal eines Knechts.

STAUFFACHER: Sie folgten, wenn der Heribann erging,
5   Dem Reichspanier und schlugen seine Schlachten.
Nach Welschland zogen sie gewappnet mit,
Die Römerkron' ihm auf das Haupt zu setzen.
Daheim regierten sie sich fröhlich selbst
Nach altem Brauch und eigenem Gesetz,
10  Der höchste Blutbann war allein des Kaisers.
Und dazu ward bestellt ein großer Graf,
Der hatte seinen Sitz nicht in dem Lande,
Wenn Blutschuld kam, so rief man ihn herein,
Und unter offnem Himmel, schlicht und klar,
15  Sprach er das Recht und ohne Furcht der Menschen.
Wo sind hier Spuren, dass wir Knechte sind?
Ist einer, der es anders weiß, der rede!

IM HOFE: Nein, so verhält sich alles, wie Ihr sprecht,
Gewaltherrschaft ward nie bei uns geduldet.

20  STAUFFACHER:
Dem Kaiser selbst versagten wir Gehorsam,
Da er das Recht zu Gunst der Pfaffen bog.
Denn als die Leute von dem Gotteshaus
*Einsiedeln* uns die Alp in Anspruch nahmen,
25  Die wir beweidet seit der Väter Zeit,
Der Abt herfürzog einen alten Brief,
Der ihm die herrenlose Wüste schenkte –
Denn unser Dasein hatte man verhehlt –
Da sprachen wir: »Erschlichen ist der Brief,
30  Kein Kaiser kann, was unser ist, verschenken.
Und wird uns Recht versagt vom Reich, wir können
In unsern Bergen auch des Reichs entbehren.«

---

4 **der Heribann erging** Ruf zu den Waffen; Mobilmachung – 5 **Reichspanier** die Reichsfahne –
10 **der höchste Blutbann** die oberste Gerichtsbarkeit – 22 **Pfaffen** Geistliche – 28 **verhehlen**
verschweigen

– So sprachen unsre Väter! Sollen *wir*
Des neuen Joches Schändlichkeit erdulden,
Erleiden von dem fremden Knecht, was uns
In seiner Macht kein Kaiser durfte bieten?
5    – Wir haben diesen Boden uns *erschaffen*
Durch unsrer Hände Fleiß, den alten Wald,
Der sonst der Bären wilde Wohnung war,
Zu einem Sitz für Menschen umgewandelt,
Die Brut des Drachen haben wir getötet,
10   Der aus den Sümpfen giftgeschwollen stieg,
Die Nebeldecke haben wir zerrissen,
Die ewig grau um diese Wildnis hing,
Den harten Fels gesprengt, über den Abgrund
Dem Wandersmann den sichern Steg geleitet,
15   Unser ist durch tausendjährigen Besitz
Der Boden – und der fremde Herrenknecht
Soll kommen dürfen und uns Ketten schmieden,
Und Schmach antun auf unsrer eignen Erde?
Ist keine Hülfe gegen solchen Drang?

20   *(Eine große Bewegung unter den Landleuten.)*

Nein, eine Grenze hat Tyrannenmacht,
Wenn der Gedrückte nirgends Recht kann finden,
Wenn unerträglich wird die Last – greift er
Hinauf getrosten Mutes in den Himmel
25   Und holt herunter seine ew'gen Rechte,
Die droben hangen unveräußerlich
Und unzerbrechlich wie die Sterne selbst –
Der alte Urstand der Natur kehrt wieder,
Wo Mensch dem Menschen gegenübersteht –
30   Zum letzten Mittel, wenn kein andres mehr
Verfangen will, ist ihm das Schwert gegeben –

---

2 **Joch** Knechtschaft – 26 **unveräußerlich** unverkäuflich – 31 **verfangen** zur gewünschten
Wirkung führen

Der Güter höchstes dürfen wir verteid'gen
Gegen Gewalt – Wir stehn vor unser Land,
Wir stehn vor unsre Weiber, unsre Kinder!

ALLE *(an ihre Schwerter schlagend)*:
Wir stehn vor unsre Weiber, unsre Kinder!

RÖSSELMANN *(tritt in den Ring)*:
Eh ihr zum Schwerte greift, bedenkt es wohl.
Ihr könnt es friedlich mit dem Kaiser schlichten.
Es kostet euch ein Wort, und die Tyrannen,
Die euch jetzt schwer bedrängen, schmeicheln euch.
– Ergreift, was man euch oft geboten hat,
Trennt euch vom Reich, erkennet Östreichs Hoheit –

AUF DER MAUER:
Was sagt der Pfarrer? Wir zu Östreich schwören!

AM BÜHEL: Hört ihn nicht an!

WINKELRIED: Das rät uns ein Verräter,
Ein Feind des Landes!

REDING: Ruhig, Eidgenossen!

SEWA: Wir Östreich huldigen, nach solcher Schmach!

VON DER FLÜE: Wir uns abtrotzen lassen durch Gewalt,
Was wir der Güte weigerten!

MEIER: Dann wären
Wir Sklaven und verdienten es zu sein!

AUF DER MAUER:
Der sei gestoßen aus dem Recht der Schweizer,
Wer von Ergebung spricht an Österreich!
– Landammann, ich bestehe drauf, dies sei
Das erste Landsgesetz, das wir hier geben.

---

2 **vor etwas stehen** für etwas einstehen; etwas beschützen

MELCHTHAL:

So sei's. Wer von Ergebung spricht an Östreich,
Soll rechtlos sein und aller Ehren bar,
Kein Landmann nehm' ihn auf an seinem Feuer.

5 ALLE *(heben die rechte Hand auf)*:
Wir wollen es, das sei Gesetz!

REDING *(nach einer Pause)*: Es ist's.

RÖSSELMANN:

Jetzt seid ihr frei, ihr seid's durch dies Gesetz,
10 Nicht durch Gewalt soll Österreich ertrotzen,
Was es durch freundlich Werben nicht erhielt –

JOST VON WEILER: Zur Tagesordnung, weiter.

REDING: Eidgenossen!
Sind alle sanften Mittel auch versucht?
15 Vielleicht weiß es der König nicht, es ist
Wohl gar sein Wille nicht, was wir erdulden.
Auch dieses letzte sollten wir versuchen,
Erst unsre Klage bringen vor sein Ohr,
Eh wir zum Schwerte greifen. Schrecklich immer
20 Auch in gerechter Sache ist Gewalt,
Gott hilft nur dann, wenn Menschen nicht mehr helfen.

STAUFFACHER *(zu Konrad Hunn)*:
Nun ist's an Euch, Bericht zu geben. Redet.

KONRAD HUNN: Ich war zu Rheinfeld an des Kaisers Pfalz,
25 Wider der Vögte harten Druck zu klagen,
Den Brief zu holen unsrer alten Freiheit,
Den jeder neue König sonst bestätigt.
Die Boten vieler Städte fand ich dort,
Vom schwäb'schen Lande und vom Lauf des Rheins,
30 Die all erhielten ihre Pergamente,

---

24 **des Kaisers Pfalz** der kaiserliche Gerichtshof – 26 **Freiheit** die Freiheitsbriefe, die die „Reichsunmittelbarkeit" garantierten (die direkte Unterstellung unter den Kaiser) – 30 **die Pergamente** die Freiheitsbriefe

Und kehrten freudig wieder in ihr Land.
Mich, *euren* Boten, wies man an die Räte,
Und die entließen mich mit leerem Trost:
»Der Kaiser habe diesmal keine Zeit,
5   Er würde sonst einmal wohl an uns denken.«
– Und als ich traurig durch die Säle ging
Der Königsburg, da sah ich Herzog Hansen
In einem Erker weinend stehn, um ihn
Die edeln Herrn von Wart und Tegerfeld.
10  Die riefen mir und sagten: »Helft euch selbst,
Gerechtigkeit erwartet nicht vom König.
Beraubt er nicht des eignen Bruders Kind,
Und hinterhält ihm sein gerechtes Erbe?
Der Herzog fleht' ihn um sein Mütterliches,
15  Er habe seine Jahre voll, es wäre
Nun Zeit, auch Land und Leute zu regieren.
Was ward ihm zum Bescheid? Ein Kränzlein setzt' ihm
Der Kaiser auf: das sei die Zier der Jugend.«

AUF DER MAUER:
20  Ihr habt's gehört. Recht und Gerechtigkeit
Erwartet nicht vom Kaiser! Helft euch selbst!

REDING:  Nichts andres bleibt uns übrig. Nun gebt Rat,
Wie wir es klug zum frohen Ende leiten.

WALTHER FÜRST *(tritt in den Ring)*:
25  Abtreiben wollen wir verhassten Zwang,
Die alten Rechte, wie wir sie ererbt
Von unsern Vätern, wollen wir bewahren,
Nicht ungezügelt nach dem Neuen greifen.
Dem Kaiser bleibe, was des Kaisers ist,
30  Wer einen Herrn hat, dien' ihm pflichtgemäß.

MEIER:  Ich trage Gut von Österreich zu Lehen.

---

31 **zu Lehen tragen** als Lehen besitzen (Lehen: Grundstück, das unter der Bedingung
gegenseitiger Treue übergeben wurde und vererbt werden konnte)

WALTHER FÜRST:
Ihr fahret fort, Östreich die Pflicht zu leisten.

JOST VON WEILER:
Ich steure an die Herrn von Rappersweil.

5 WALTHER FÜRST: Ihr fahret fort, zu zinsen und zu steuern.

RÖSSELMANN: Der großen Frau zu Zürch bin ich vereidet.

WALTHER FÜRST: Ihr gebt dem Kloster, was des Klosters ist.

STAUFFACHER: Ich trage keine Lehen als des Reichs.

WALTHER FÜRST:
10 Was sein muss, das geschehe, doch nicht drüber.
Die Vögte wollen wir mit ihren Knechten
Verjagen und die festen Schlösser brechen,
Doch, wenn es sein mag, ohne Blut. Es sehe
Der Kaiser, dass wir notgedrungen nur
15 Der Ehrfurcht fromme Pflichten abgeworfen.
Und sieht er uns in unsern Schranken bleiben,
Vielleicht besiegt er staatsklug seinen Zorn,
Denn bill'ge Furcht erwecket sich ein Volk,
Das mit dem Schwerte in der Faust sich *mäßigt*.

20 REDING: Doch lasset hören! *Wie* vollenden wir's?
Es hat der Feind die Waffen in der Hand,
Und nicht fürwahr in Frieden wird er weichen.

STAUFFACHER: Er wird's, wenn er in Waffen uns erblickt,
Wir überraschen ihn, eh er sich rüstet.

25 MEIER: Ist bald gesprochen, aber schwer getan.
Uns ragen in dem Land zwei feste Schlösser,
Die geben Schirm dem Feind und werden furchtbar,
Wenn uns der König in das Land sollt' fallen.
Roßberg und Sarnen muss bezwungen sein,
30 Eh man ein Schwert erhebt in den drei Landen.

---

4 **ich steure** ich zahle Steuern – 6 **die große Frau zu Zürch** die Äbtissin des
Fraumünsterklosters in Zürich – 18 **billig** angemessen

STAUFFACHER:
Säumt man so lang, so wird der Feind gewarnt.
Zuviele sind's, die das Geheimnis teilen.

MEIER: In den Waldstätten find't sich kein Verräter.

5  RÖSSELMANN: Der Eifer auch, der gute, kann verraten.

WALTHER FÜRST:
Schiebt man es auf, so wird der Twing vollendet
In Altdorf, und der Vogt befestigt sich.

MEIER: Ihr denkt an *euch*.

10  SIGRIST: Und ihr seid ungerecht.

MEIER *(auffahrend)*:
Wir ungerecht! Das darf uns Uri bieten!

REDING: Bei eurem Eide, Ruh!

MEIER: Ja, wenn sich Schwyz
15  Versteht mit Uri, müssen *wir* wohl schweigen.

REDING: Ich muss euch weisen vor der Landsgemeinde,
Dass ihr mit heft'gem Sinn den Frieden stört!
Stehn wir nicht alle für dieselbe Sache?

WINKELRIED:
20  Wenn wir's verschieben bis zum Fest des Herrn,
Dann bringt's die Sitte mit, dass alle Sassen
Dem Vogt Geschenke bringen auf das Schloss,
So können zehen Männer oder zwölf
Sich unverdächtig in der Burg versammeln,
25  Die führen heimlich spitz'ge Eisen mit,
Die man geschwind kann an die Stäbe stecken,
Denn niemand kommt mit Waffen in die Burg.
Zunächst im Wald hält dann der große Haufe,
Und wenn die andern glücklich sich des Tors

---

7 **der Twing** die Gewalt; der Zwang – 21 **Sassen** Untergebene, Menschen ohne Bürgerrechte

Ermächtiget, so wird ein Horn geblasen,
Und jene brechen aus dem Hinterhalt,
So wird das Schloss mit leichter Arbeit unser.

MELCHTHAL: Den Roßberg übernehm ich zu ersteigen,
5 Denn eine Dirn' des Schlosses ist mir hold,
Und leicht betör ich sie, zum nächtlichen
Besuch die schwanke Leiter mir zu reichen,
Bin ich droben erst, zieh ich die Freunde nach.

REDING: Ist's aller Wille, dass verschoben werde?

10 *(Die Mehrheit erhebt die Hand.)*

STAUFFACHER *(zählt die Stimmen)*:
Es ist ein Mehr von zwanzig gegen zwölf!

WALTHER FÜRST:
Wenn am bestimmten Tag die Burgen fallen,
15 So geben wir von einem Berg zum andern
Das Zeichen mit dem Rauch, der Landsturm wird
Aufgeboten, schnell, im Hauptort jedes Landes,
Wenn dann die Vögte sehn der Waffen Ernst,
Glaubt mir, sie werden sich des Streits begeben
20 Und gern ergreifen friedliches Geleit,
Aus unsern Landesmarken zu entweichen.

STAUFFACHER:
Nur mit dem Gessler fürcht ich schweren Stand,
Furchtbar ist er mit Reisigen umgeben,
25 Nicht ohne Blut räumt er das Feld, ja selbst
Vertrieben bleibt er furchtbar noch dem Land,
Schwer ist's und fast gefährlich, ihn zu schonen.

BAUMGARTEN: Wo's halsgefährlich ist, da stellt *mich* hin,
Dem Tell verdank ich mein gerettet Leben.

---

5 **eine Dirn ist ihm hold** ihn mag ein Mädchen – 19 **des Streits begeben** das Streiten/den Kampf aufgeben

Gern schlag ich's in die Schanze für das Land,
Mein Ehr' hab ich beschützt, mein Herz befriedigt.

REDING: Die Zeit bringt Rat. Erwartet's in Geduld.
Man muss dem Augenblick auch was vertrauen.
– Doch seht, indes wir nächtlich hier noch tagen,
Stellt auf den höchsten Bergen schon der Morgen
Die glüh'nde Hochwacht aus – Kommt, lasst uns scheiden,
Eh uns des Tages Leuchten überrascht.

WALTHER FÜRST:
Sorgt nicht, die Nacht weicht langsam aus den Tälern.

*(Alle haben unwillkürlich die Hüte abgenommen und betrachten mit stiller Sammlung die Morgenröte.)*

RÖSSELMANN: Bei diesem Licht, das uns zuerst begrüßt
Von allen Völkern, die tief unter uns
Schweratmend wohnen in dem Qualm der Städte,
Lasst uns den Eid des neuen Bundes schwören.
– Wir wollen sein ein einzig Volk von Brüdern,
In keiner Not uns trennen und Gefahr.

*(Alle sprechen es nach mit erhobenen drei Fingern.)*

– Wir wollen frei sein, wie die Väter waren,
Eher den Tod, als in der Knechtschaft leben.

*(Wie oben.)*

– Wir wollen trauen auf den höchsten Gott
Und uns nicht fürchten vor der Macht der Menschen.

*(Wie oben. Die Landleute umarmen einander.)*

1 **in die Schanze schlagen** aufs Spiel setzen, riskieren

STAUFFACHER: Jetzt gehe jeder seines Weges still
Zu seiner Freundschaft und Genosssame,
Wer Hirt ist, wintre ruhig seine Herde
Und werb' im Stillen Freunde für den Bund,
5 – *Was* noch bis dahin muss erduldet werden,
Erduldet's! Lasst die Rechnung der Tyrannen
Anwachsen, bis *ein* Tag die allgemeine
Und die besondre Schuld auf einmal zahlt.
Bezähme jeder die gerechte Wut,
10 Und spare für das Ganze seine Rache,
Denn Raub begeht am allgemeinen Gut,
Wer selbst sich hilft in seiner eignen Sache.

*(Indem sie zu drei verschiednen Seiten in größter Ruhe*
*abgehen, fällt das Orchester mit einem prachtvollen*
15 *Schwung ein, die leere Szene bleibt noch eine Zeitlang*
*offen und zeigt das Schauspiel der aufgehenden Sonne*
*über den Eisgebirgen.)*

2 **Genosssame** Gemeinschaft (Genossenschaft) – 4 **im Stillen** insgeheim

# DRITTER
# AUFZUG

# Erste Szene

*Hof vor Tells Hause.*

*Er ist mit der Zimmeraxt, Hedwig mit einer häuslichen Arbeit beschäftigt.*

*Walther und Wilhelm in der Tiefe spielen mit einer*
5 *kleinen Armbrust.*

WALTHER *(singt)*: Mit dem Pfeil, dem Bogen
Durch Gebirg und Tal
Kommt der Schütz gezogen
Früh am Morgenstrahl.

10 Wie im Reiche der Lüfte
König ist der Weih, –
Durch Gebirg und Klüfte
Herrscht der Schütze frei.

Ihm gehört das Weite,
15 Was sein Pfeil erreicht,
Das ist seine Beute,
Was da kreucht und fleugt.

*(Kommt gesprungen.)*

Der Strang ist mir entzwei. Mach mir ihn, Vater.

20 TELL: Ich nicht. Ein rechter Schütze hilft sich selbst.

*(Knaben entfernen sich.)*

HEDWIG: Die Knaben fangen zeitig an zu schießen.

TELL: Früh übt sich, was ein Meister werden will.

HEDWIG: Ach wollte Gott, sie lernten's nie!

---

11 **König ist der Weih** die Weihe (ein Greifvogel) ist der König

TELL:  Sie sollen alles lernen. Wer durchs Leben
Sich frisch will schlagen, muss zu Schutz und Trutz
Gerüstet sein.

HEDWIG:  Ach, es wird keiner seine Ruh'
5  Zu Hause finden.

TELL:  Mutter, ich kann's auch nicht,
Zum Hirten hat Natur mich nicht gebildet,
Rastlos muss ich ein flüchtig Ziel verfolgen,
Dann erst genieß ich meines Lebens recht,
10  Wenn ich mir's jeden Tag aufs neu erbeute.

HEDWIG:  Und an die Angst der Hausfrau denkst du nicht,
Die sich indessen, deiner wartend, härmt,
Denn mich erfüllt's mit Grausen, was die Knechte
Von euren Wagefahrten sich erzählen.
15  Bei jedem Abschied zittert mir das Herz,
Dass du mir nimmer werdest wiederkehren.
Ich sehe dich im wilden Eisgebirg,
Verirrt, von einer Klippe zu der andern
Den Fehlsprung tun, seh, wie die Gemse dich
20  Rückspringend mit sich in den Abgrund reißt,
Wie eine Windlawine dich verschüttet,
Wie unter dir der trügerische Firn
Einbricht und du hinabsinkst, ein lebendig
Begrabner, in die schauerliche Gruft –
25  Ach, den verwegnen Alpenjäger hascht
Der Tod in hundert wechselnden Gestalten,
Das ist ein unglückseliges Gewerb',
Das halsgefährlich führt am Abgrund hin!

TELL:  Wer frisch umherspäht mit gesunden Sinnen,
30  Auf Gott vertraut und die gelenke Kraft,
Der ringt sich leicht aus jeder Fahr und Not,
Den schreckt der Berg nicht, der darauf geboren.

12 **härmen** sich grämen, sorgen

*(Er hat seine Arbeit vollendet, legt das Gerät hinweg.)*

Jetzt, mein ich, hält das Tor auf Jahr und Tag.
Die Axt im Haus erspart den Zimmermann.

*(Nimmt den Hut.)*

5 HEDWIG: Wo gehst du hin?

TELL: Nach Altdorf, zu dem Vater.

HEDWIG: Sinnst du auch nichts Gefährliches? Gesteh mir's.

TELL: Wie kommst du darauf, Frau?

HEDWIG: Es spinnt sich etwas
10 Gegen die Vögte – Auf dem Rütli ward
Getagt, ich weiß, und du bist auch im Bunde.

TELL: Ich war nicht mit dabei – doch werd ich mich
Dem Lande nicht entziehen, wenn es ruft.

HEDWIG: Sie werden dich hinstellen, wo Gefahr ist,
15 Das Schwerste wird dein Anteil sein, wie immer.

TELL: Ein jeder wird besteuert nach Vermögen.

HEDWIG: Den Unterwaldner hast du auch im Sturme
Über den See geschafft – Ein Wunder war's,
Dass ihr entkommen – Dachtest du denn gar nicht
20 An Kind und Weib?

TELL: Lieb Weib, ich dacht an euch,
Drum rettet ich den Vater seinen Kindern.

HEDWIG: Zu schiffen in dem wütgen See! Das heißt
Nicht Gott vertrauen! Das heißt Gott versuchen.

25 TELL: Wer gar zuviel bedenkt, wird wenig leisten.

24 **versuchen** herausfordern

HEDWIG: Ja, du bist gut und hilfreich, dienest allen,
Und wenn du selbst in Not kommst, hilft dir keiner.

TELL: Verhüt' es Gott, dass ich nicht Hülfe brauche.

*(Er nimmt die Armbrust und Pfeile.)*

5 HEDWIG: Was willst du mit der Armbrust? Lass sie hier.

TELL: Mir fehlt der Arm, wenn mir die Waffe fehlt.

*(Die Knaben kommen zurück.)*

WALTHER: Vater, wo gehst du hin?

TELL: Nach Altdorf, Knabe,
10 Zum Ehni – Willst du mit?

WALTHER: Ja freilich will ich.

HEDWIG:
Der Landvogt ist jetzt dort. Bleib weg von Altdorf.

TELL: Er *geht*, noch heute.

15 HEDWIG: Drum lass ihn erst fort sein.
Gemahn ihn nicht an dich, du weißt, er grollt uns.

TELL: Mir soll sein böser Wille nicht viel schaden,
Ich tue recht und scheue keinen Feind.

HEDWIG: Die recht tun, eben die hasst er am meisten.

20 TELL: Weil er nicht an sie kommen kann – Mich wird
Der Ritter wohl in Frieden lassen, mein ich.

HEDWIG: So, weißt du das?

---

10 **der Ehni** der Großvater – 18 **ich tue recht** ich tue nichts Unrechtes

TELL:  Es ist nicht lange her,
Da ging ich jagen durch die wilden Gründe
Des Schächentals auf menschenleerer Spur,
Und da ich einsam einen Felsensteig
5        Verfolgte, wo nicht auszuweichen war,
Denn über mir hing schroff die Felswand her,
Und unten rauschte fürchterlich der Schächen,

*(Die Knaben drängen sich rechts und links an ihn und
sehen mit gespannter Neugier an ihm hinauf.)*

10       Da kam der Landvogt gegen mich daher,
Er ganz allein mit mir, der auch allein war,
Bloß Mensch zu Mensch, und neben uns der Abgrund.
Und als der Herre mein ansichtig ward
Und mich erkannte, den er kurz zuvor
15       Um kleiner Ursach willen schwer gebüßt,
Und sah mich mit dem stattlichen Gewehr
Daher geschritten kommen, da verblasst' er,
Die Knie versagten ihm, ich sah es kommen,
Dass er jetzt an die Felswand würde sinken.
20       – Da jammerte mich sein, ich trat zu ihm
Bescheidentlich und sprach: »Ich bin's, Herr Landvogt.«
Er aber konnte keinen armen Laut
Aus seinem Munde geben – Mit der Hand nur
25       Winkt' er mir schweigend, meines Wegs zu gehn,
Da ging ich fort und sandt' ihm sein Gefolge.

HEDWIG:  Er hat vor dir gezittert – Wehe dir!
Dass du ihn schwach gesehn, vergibt er nie.

TELL:  Drum meid ich ihn, und er wird *mich* nicht suchen.

16 **Gewehr** Armbrust

**120**

HEDWIG: Bleib heute nur dort weg. Geh lieber jagen.

TELL: Was fällt dir ein?

HEDWIG: Mich ängstigt's. Bleibe weg.

TELL: Wie kannst du dich so ohne Ursach quälen?

HEDWIG: *Weil's* keine Ursach hat – Tell, bleibe hier.

TELL: Ich hab's versprochen, liebes Weib, zu kommen.

HEDWIG: *Musst* du, so geh – Nur lasse mir den Knaben!

WALTHER: Nein, Mütterchen. Ich gehe mit dem Vater.

HEDWIG: Wälty, verlassen willst du deine Mutter?

WALTHER: Ich bring dir auch was Hübsches mit vom Ehni.

*(Geht mit dem Vater.)*

WILHELM: Mutter, ich bleibe bei dir!

HEDWIG *(umarmt ihn)*: Ja, du bist
Mein liebes Kind, du bleibst mir noch allein!

*(Sie geht an das Hoftor und folgt den Abgehenden lange
mit den Augen.)*

# Zweite Szene

*Eine eingeschlossene wilde Waldgegend, Staubbäche stürzen von den Felsen.*

*Bertha im Jagdkleid. Gleich darauf Rudenz.*

BERTHA: Er folgt mir. Endlich kann ich mich erklären.

5 RUDENZ (*tritt rasch ein*):
Fräulein, jetzt endlich find ich Euch allein,
Abgründe schließen ringsumher uns ein,
In dieser Wildnis fürcht ich keinen Zeugen,
Vom Herzen wälz ich dieses lange Schweigen –

10 BERTHA: Seid Ihr gewiss, dass uns die Jagd nicht folgt?

RUDENZ: Die Jagd ist dort hinaus – Jetzt oder nie!
Ich muss den teuren Augenblick ergreifen –
Entschieden sehen muss ich mein Geschick,
Und sollt es mich auf ewig von Euch scheiden.
15 – O, waffnet Eure güt'gen Blicke nicht
Mit dieser finstern Strenge – *Wer* bin ich,
Dass ich den kühnen Wunsch zu Euch erhebe?
Mich hat der Ruhm noch nicht genannt, ich darf
Mich in die Reih' nicht stellen mit den Rittern,
20 Die siegberühmt und glänzend Euch umwerben.
Nichts hab ich als mein Herz voll Treu und Liebe –

BERTHA (*ernst und streng*):
Dürft Ihr von Liebe reden und von Treue,
Der treulos wird an seinen nächsten Pflichten?

25 (*Rudenz tritt zurück.*)

Der Sklave Österreichs, der sich dem Fremdling
Verkauft, dem Unterdrücker seines Volks?

---

10 **die Jagd** die Jagdgesellschaft

RUDENZ:
Von Euch, mein Fräulein, hör ich diesen Vorwurf?
Wen such ich denn, als Euch auf jener Seite?

BERTHA: Mich denkt Ihr auf der Seite des Verrats
5  Zu finden? Eher wollt' ich meine Hand
Dem Gessler selbst, dem Unterdrücker, schenken,
Als dem naturvergessnen Sohn der Schweiz,
Der sich zu seinem Werkzeug machen kann!

RUDENZ: O Gott, was muss ich hören?

10 BERTHA: Wie? Was liegt
Dem guten Menschen näher als die Seinen?
Gibt's schönre Pflichten für ein edles Herz,
Als ein Verteidiger der Unschuld sein,
Das Recht des Unterdrückten zu beschirmen?
15  – Die Seele blutet mir um Euer Volk,
Ich leide *mit* ihm, denn ich muss es lieben,
Das so bescheiden ist und doch voll Kraft,
Es zieht mein ganzes Herz mich zu ihm hin,
Mit jedem Tage lern ich's mehr verehren.
20  – Ihr aber, den Natur und Ritterpflicht
Ihm zum geborenen Beschützer gaben,
Und der's *verlässt*, der treulos übertritt
Zum Feind, und Ketten schmiedet seinem Land,
Ihr seid's, der mich verletzt und kränkt, ich muss
25  Mein Herz bezwingen, dass ich Euch nicht hasse.

RUDENZ: Will ich denn nicht das Beste meines Volks?
Ihm unter Östreichs mächt'gem Zepter nicht
Den Frieden –

BERTHA: Knechtschaft wollt Ihr ihm bereiten!
30  Die Freiheit wollt Ihr aus dem letzten Schloss,
Das ihr noch auf der Erde blieb, verjagen.
Das Volk versteht sich besser auf sein Glück,

7 **naturvergessen** pflichtvergessen

**123**

Kein Schein verführt sein sicheres Gefühl,
Euch haben sie das Netz ums Haupt geworfen –

RUDENZ: Bertha! Ihr hasst mich, Ihr verachtet mich!

BERTHA: Tät ich's, mir wäre besser – Aber den
5 Verachtet *sehen* und verachtungswert,
Den man gern lieben möchte –

RUDENZ: Bertha! Bertha!
Ihr zeiget mir das höchste Himmelsglück,
Und stürzt mich tief in *einem* Augenblick.

10 BERTHA: Nein, nein, das Edle ist nicht ganz erstickt
In Euch! Es schlummert nur, ich will es wecken,
Ihr müsst Gewalt ausüben an Euch selbst,
Die angestammte Tugend zu ertöten,
Doch wohl Euch, sie ist mächtiger als Ihr,
15 Und trotz Euch selber seid Ihr gut und edel!

RUDENZ: Ihr glaubt an mich! O Bertha, alles lässt
Mich Eure Liebe sein und werden!

BERTHA: Seid,
Wozu die herrliche Natur Euch machte!
20 Erfüllt den Platz, wohin sie Euch gestellt,
Zu Eurem Volke steht und Eurem Lande,
Und kämpft für Euer heilig Recht.

RUDENZ: Weh mir!
Wie kann ich Euch erringen, Euch besitzen,
25 Wenn ich der Macht des Kaisers widerstrebe?
Ist's der Verwandten mächt'ger Wille nicht,
Der über Eure Hand tyrannisch waltet?

BERTHA: In den Waldstätten liegen meine Güter,
Und ist der Schweizer frei, so bin auch ich's.

30 RUDENZ: Bertha! welch einen Blick tut Ihr mir auf!

---

28 **in den Waldstätten** in den Urkantonen der Schweiz

BERTHA:

Hofft nicht, durch Östreichs Gunst mich zu erringen,
Nach meinem Erbe strecken sie die Hand,
Das will man mit dem großen Erb' vereinen.
Dieselbe Ländergier, die Eure Freiheit
Verschlingen will, sie drohet auch der meinen!
– O Freund, zum Opfer bin ich ausersehn,
Vielleicht um einen Günstling zu belohnen –
Dort wo die Falschheit und die Ränke wohnen,
Hin an den Kaiserhof will man mich ziehn,
Dort harren mein verhasster Ehe Ketten,
Die Liebe nur – die Eure kann mich retten!

RUDENZ: Ihr könntet Euch entschließen, hier zu leben,
In meinem Vaterlande mein zu sein?
O Bertha, all mein Sehnen in das Weite,
Was war es, als ein Streben nur nach Euch?
Euch sucht ich einzig auf dem Weg des Ruhms,
Und all mein Ehrgeiz war nur meine Liebe.
Könnt Ihr mit mir Euch in dies stille Tal
Einschließen und der Erde Glanz entsagen –
O dann ist meines Strebens Ziel gefunden,
Dann mag der Strom der wildbewegten Welt
Ans sichre Ufer dieser Berge schlagen –
Kein flüchtiges Verlangen hab ich mehr
Hinauszusenden in des Lebens Weiten –
Dann mögen diese Felsen um uns her
Die undurchdringlich feste Mauer breiten,
Und dies verschlossne sel'ge Tal allein
Zum Himmel offen und gelichtet sein!

BERTHA: Jetzt bist du ganz, wie dich mein ahnend Herz
Geträumt, mich hat mein Glaube nicht betrogen!

RUDENZ: Fahr hin, du eitler Wahn, der mich betört!
Ich soll das Glück in meiner Heimat finden.

Hier wo der Knabe fröhlich aufgeblüht,
Wo tausend Freudespuren mich umgeben,
Wo alle Quellen mir und Bäume leben,
Im Vaterland willst du die Meine werden!
5   Ach, wohl hab ich es stets geliebt! Ich fühl's,
Es fehlte mir zu jedem Glück der Erden.

BERTHA: Wo wär die sel'ge Insel aufzufinden,
Wenn sie nicht hier ist in der Unschuld Land?
Hier, wo die alte Treue heimisch wohnt,
10   Wo sich die Falschheit noch nicht hingefunden,
Da trübt kein Neid die Quelle unsers Glücks,
Und ewig hell entfliehen uns die Stunden.
– Da seh ich *dich* im echten Männerwert,
Den Ersten von den Freien und den Gleichen,
15   Mit reiner, freier Huldigung verehrt,
Groß wie ein König wirkt in seinen Reichen.

RUDENZ: Da seh ich dich, die Krone aller Frauen,
In weiblich reizender Geschäftigkeit,
In meinem Haus den Himmel mir erbauen,
20   Und, wie der Frühling seine Blumen streut,
Mit schöner Anmut mir das Leben schmücken
Und alles rings beleben und beglücken!

BERTHA: Sieh, teurer Freund, warum ich trauerte,
Als ich dies höchste Lebensglück dich selbst
25   Zerstören sah – Weh mir! Wie stünd's um mich,
Wenn ich dem stolzen Ritter müsste folgen,
Dem Landbedrücker auf sein finstres Schloss!
– Hier ist kein Schloss. Mich scheiden keine Mauern
Von einem Volk, das ich beglücken kann!

30 RUDENZ: Doch wie mich retten – wie die Schlinge lösen,
Die ich mir töricht selbst ums Haupt gelegt?

**126**

BERTHA: Zerreiße sie mit männlichem Entschluss!
Was auch draus werde – Steh zu deinem Volk,
Es ist dein angeborner Platz.

*(Jagdhörner in der Ferne.)*

5  Die Jagd
Kommt näher – Fort, wir müssen scheiden – Kämpfe
Fürs Vaterland, du kämpfst für deine Liebe!
Es ist *ein* Feind, vor dem wir alle zittern,
Und *eine* Freiheit macht uns alle frei!

10  *(Gehen ab.)*

# Dritte Szene

*Wiese bei Altdorf. Im Vordergrund Bäume, in der Tiefe der Hut auf einer Stange. Der Prospekt wird begrenzt durch den Bannberg, über welchem ein Schneegebirg emporragt.*

5 *Frießhardt und Leuthold halten Wache.*

FRIESSHARDT:
Wir passen auf umsonst. Es will sich niemand
Heranbegeben und dem Hut sein' Reverenz
Erzeigen. 's war doch sonst wie Jahrmarkt hier,
10 Jetzt ist der ganze Anger wie verödet,
Seitdem der Popanz auf der Stange hängt.

LEUTHOLD:
Nur schlecht Gesindel lässt sich sehn und schwingt
Uns zum Verdrieße die zerlumpten Mützen.
15 Was rechte Leute sind, die machen lieber
Den langen Umweg um den halben Flecken,
Eh sie den Rücken beugten vor dem Hut.

FRIESSHARDT: Sie müssen über diesen Platz, wenn sie
Vom Rathaus kommen um die Mittagstunde.
20 Da meint ich schon, 'nen guten Fang zu tun,
Denn keiner dachte dran, den Hut zu grüßen.
Da sieht's der Pfaff, der Rösselmann – kam just
Von einem Kranken her – und stellt sich hin
Mit dem Hochwürdigen, grad vor die Stange –
25 Der Sigrist musste mit dem Glöcklein schellen,
Da fielen all aufs Knie, ich selber mit,
Und grüßten die Monstranz, doch nicht den Hut. –

3 **Bannberg** Berg, an dem wegen der Lawinengefahr das Bäumefällen untersagt (gebannt) war – 8 **die Reverenz erzeigen** die Ehrerbietung zeigen – 10 **der Anger** die Wiese – 11 **der Popanz** (Schreck)gestalt; Puppe – 25 **der Sigrist** der Küster; Kirchendiener

LEUTHOLD: Höre, Gesell, es fängt mir an zu deuchten,
  Wir stehen hier am Pranger vor dem Hut,
  's ist doch ein Schimpf für einen Reitersmann,
  Schildwach zu stehn vor einem leeren Hut –
5 Und jeder rechte Kerl muss uns verachten.
  – Die Reverenz zu machen einem Hut,
  Es ist doch traun! ein närrischer Befehl!

FRIESSHARDT: Warum nicht einem leeren, hohlen Hut?
  Bückst du dich doch vor manchem hohlen Schädel.

10 *Hildegard, Mechthild und Elsbeth treten auf mit Kindern
  und stellen sich um die Stange.*

LEUTHOLD: Und du bist auch so ein dienstfertger Schurke,
  Und brächtest wackre Leute gern ins Unglück.
  Mag, wer da will, am Hut vorübergehn,
15 Ich drück die Augen zu und seh nicht hin.

MECHTHILD:
  Da hängt der Landvogt – Habt Respekt, ihr Buben.

ELSBETH: Wollt's Gott, er ging, und ließ uns seinen Hut,
  Es sollte drum nicht schlechter stehn ums Land!

20 FRIESSHARDT *(verscheucht sie)*:
  Wollt ihr vom Platz? Verwünschtes Volk der Weiber!
  Wer fragt nach euch? Schickt eure Männer her,
  Wenn sie der Mut sticht, dem Befehl zu trotzen.

*(Weiber gehen.)*

25 *Tell mit der Armbrust tritt auf, den Knaben an der Hand
  führend. Sie gehen an dem Hut vorbei gegen die vordere
  Szene, ohne darauf zu achten.*

---

1 **es fängt mir an zu deuchten** ich beginne zu denken; es scheint mir – 7 **es ist traun** es ist
wirklich

WALTHER *(zeigt nach dem Bannberg)*:
    Vater, ist's wahr, dass auf dem Berge dort
    Die Bäume bluten, wenn man einen Streich
    Drauf führte mit der Axt?

5  TELL: Wer sagt das, Knabe?

WALTHER: Der Meister Hirt erzählt's – Die Bäume seien
    Gebannt, sagt er, und wer sie schädige,
    Dem wachse sein Hand heraus zum Grabe.

TELL: Die Bäume sind gebannt, das ist die Wahrheit.
10    – Siehst du die Firnen dort, die weißen Hörner,
    Die hoch bis in den Himmel sich verlieren?

WALTHER:
    Das sind die Gletscher, die des Nachts so donnern,
    Und uns die Schlaglawinen niedersenden.

15  TELL: So ist's, und die Lawinen hätten längst
    Den Flecken Altdorf unter ihrer Last
    Verschüttet, wenn der Wald dort oben nicht
    Als eine Landwehr sich dagegenstellte.

WALTHER *(nach einigem Besinnen)*:
20    Gibt's Länder, Vater, wo *nicht* Berge sind?

TELL: Wenn man hinuntersteigt von unsern Höhen,
    Und immer tiefer steigt, den Strömen nach,
    Gelangt man in ein großes, ebnes Land,
    Wo die Waldwasser nicht mehr brausend schäumen,
25    Die Flüsse ruhig und gemächlich ziehn,
    Da sieht man frei nach allen Himmelsräumen,
    Das Korn wächst dort in langen, schönen Auen,
    Und wie ein Garten ist das Land zu schauen.

WALTHER: Ei, Vater, warum steigen wir denn nicht
30    Geschwind hinab in dieses schöne Land,
    Statt dass wir uns hier ängstigen und plagen?

TELL: Das Land ist schön und gütig wie der Himmel,
Doch die's bebauen, *sie* genießen nicht
Den Segen, den sie pflanzen.

WALTHER: Wohnen sie
Nicht frei wie du auf ihrem eignen Erbe?

TELL: Das Feld gehört dem Bischof und dem König.

WALTHER: So dürfen sie doch frei in Wäldern jagen?

TELL: Dem Herrn gehört das Wild und das Gefieder.

WALTHER: Sie dürfen doch frei fischen in dem Strom?

TELL: Der Strom, das Meer, das Salz gehört dem König.

WALTHER: Wer *ist* der König denn, den alle fürchten?

TELL: Es ist der *eine*, der sie schützt und nährt.

WALTHER: Sie können sich nicht mutig selbst beschützen?

TELL: Dort darf der Nachbar nicht dem Nachbar trauen.

WALTHER: Vater, es wird mir eng im weiten Land,
Da wohn ich lieber unter den Lawinen.

TELL: Ja, wohl ist's besser, Kind, die Gletscherberge
Im Rücken haben, als die bösen Menschen.

*(Sie wollen vorübergehen.)*

WALTHER: Ei, Vater, sieh den Hut dort auf der Stange.

TELL: Was kümmert uns der Hut? Komm, lass uns gehen.

*(Indem er abgehen will, tritt ihm Frießhardt mit
vorgehaltner Pike entgegen.)*

FRIESSHARDT: In des Kaisers Namen! Haltet an und steht!

8 **das Gefieder** das Federvieh

TELL *(greift in die Pike)*:
Was wollt Ihr? Warum haltet Ihr mich auf?

FRIESSHARDT:
Ihr habt's Mandat verletzt, Ihr müsst uns folgen.

5 LEUTHOLD: Ihr habt dem Hut nicht Reverenz bewiesen.

TELL: Freund, lass mich gehen.

FRIESSHARDT: Fort, fort ins Gefängnis!

WALTHER: Den Vater ins Gefängnis! Hülfe! Hülfe!

*(In die Szene rufend.)*

10 Herbei, ihr Männer, gute Leute, helft,
Gewalt, Gewalt, sie führen ihn gefangen.

*Rösselmann der Pfarrer und Petermann der Sigrist
kommen herbei, mit drei andern Männern.*

SIGRIST: Was gibt's?

15 RÖSSELMANN: Was legst du Hand an diesen Mann?

FRIESSHARDT: Er ist ein Feind des Kaisers, ein Verräter!

TELL *(fasst ihn heftig)*: Ein Verräter, ich!

RÖSSELMANN: Du irrst dich, Freund, das ist
Der Tell, ein Ehrenmann und guter Bürger.

20 WALTHER *(erblickt Walther Fürsten und eilt ihm entgegen)*:
Großvater, hilf, Gewalt geschieht dem Vater.

FRIESSHARDT: Ins Gefängnis, fort!

WALTHER FÜRST *(herbeieilend)*:
Ich leiste Bürgschaft, haltet!
25 – Um Gotteswillen, Tell, was ist geschehen?

4 **das Mandat** (An-)Weisung

*Melchthal und Stauffacher kommen.*

FRIESSHARDT: Des Landvogts oberherrliche Gewalt
  Verachtet er, und will sie nicht erkennen.

STAUFFACHER: Das hätt der Tell getan?

5 MELCHTHAL: Das lügst du, Bube!

LEUTHOLD: Er hat dem Hut nicht Reverenz bewiesen.

WALTHER FÜRST:
  Und darum soll er ins Gefängnis? Freund,
  Nimm meine Bürgschaft an und lass ihn ledig.

10 FRIESSHARDT: Bürg du für dich und deinen eignen Leib!
  Wir tun, was unsers Amtes – Fort mit ihm!

MELCHTHAL *(zu den Landleuten)*:
  Nein, das ist schreiende Gewalt! Ertragen wir's,
  Dass man ihn fortführt, frech, vor unsern Augen?

15 SIGRIST: Wir sind die Stärkern. Freunde, duldet's nicht,
  Wir haben einen Rücken an den andern!

FRIESSHARDT: Wer widersetzt sich dem Befehl des Vogts?

NOCH DREI LANDLEUTE *(herbeieilend)*:
  Wir helfen euch. Was gibt's? Schlagt sie zu Boden.

20 *(Hildegard, Mechthild und Elsbeth kommen zurück.)*

TELL: Ich helfe mir schon selbst. Geht, gute Leute,
  Meint ihr, wenn ich die Kraft gebrauchen wollte,
  Ich würde mich vor ihren Spießen fürchten?

MELCHTHAL *(zu Frießhardt)*:
25  Wag's, ihn aus unsrer Mitte wegzuführen!

WALTHER FÜRST UND STAUFFACHER: Gelassen! Ruhig!

---

9 **ledig** frei

FRIESSHARDT *(schreit)*: Aufruhr und Empörung!

*(Man hört Jagdhörner.)*

WEIBER: Da kommt der Landvogt!

FRIESSHARDT *(erhebt die Stimme)*: Meuterei! Empörung!

5 STAUFFACHER: Schrei, bis du berstest, Schurke!

RÖSSELMANN UND MELCHTHAL: Willst du schweigen?

FRIESSHARDT *(ruft noch lauter)*:
Zu Hülf, zu Hülf den Dienern des Gesetzes.

WALTHER FÜRST:
10 Da ist der Vogt! Weh uns, was wird das werden!

*Gessler zu Pferd, den Falken auf der Faust, Rudolf der
Harras, Bertha und Rudenz, ein großes Gefolge von
bewaffneten Knechten, welche einen Kreis von Piken um
die ganze Szene schließen.*

15 RUDOLF DER HARRAS: Platz, Platz dem Landvogt!

GESSLER: Treibt sie auseinander!
Was läuft das Volk zusammen? Wer ruft Hülfe?

*(Allgemeine Stille.)*

Wer war's? Ich will es wissen.

20 *(Zu Frießhardt.)*

*Du* tritt vor!
Wer bist du und was hältst du diesen Mann?

*(Er gibt den Falken einem Diener.)*

---

15 **Harras** Stallmeister

FRIESSHARDT: Gestrenger Herr, ich bin dein Waffenknecht
Und wohlbestellter Wächter bei dem Hut.
Diesen Mann ergriff ich über frischer Tat,
Wie er dem Hut den Ehrengruß versagte.
5   Verhaften wollt ich ihn, wie du befahlst,
Und mit Gewalt will ihn das Volk entreißen.

GESSLER *(nach einer Pause)*:
Verachtest du so deinen Kaiser, Tell,
Und *mich*, der hier an seiner Statt gebietet,
10   Dass du die Ehr' versagst dem Hut, den ich
Zur Prüfung des Gehorsams aufgehangen?
Dein böses Trachten hast du mir verraten.

TELL: Verzeiht mir, lieber Herr! Aus Unbedacht,
Nicht aus Verachtung Eurer ist's geschehn,
15   Wär ich besonnen, hieß' ich nicht der Tell,
Ich bitt um Gnad', es soll nicht mehr begegnen.

GESSLER *(nach einigem Stillschweigen)*:
Du bist ein Meister auf der Armbrust, Tell,
Man sagt, du nähmst es auf mit jedem Schützen?

20   WALTHER TELL:
Und das muss wahr sein, Herr – 'nen Apfel schießt
Der Vater dir vom Baum auf hundert Schritte.

GESSLER: Ist das dein Knabe, Tell?

TELL: Ja, lieber Herr.

25   GESSLER: Hast du der Kinder mehr?

TELL: Zwei Knaben, Herr.

GESSLER: Und welcher ist's, den du am meisten liebst?

TELL: Herr, beide sind sie mir gleich liebe Kinder.

---

12 **dein böses Trachten** deine bösen Absichten – 16 **begegnen** passieren, vorkommen

GESSLER: Nun, Tell! weil du den Apfel triffst vom Baume
Auf hundert Schritte, so wirst du deine Kunst
Vor mir bewähren müssen – Nimm die Armbrust –
Du hast sie gleich zur Hand – und mach dich fertig,
5 Einen Apfel von des Knaben Kopf zu schießen –
Doch will ich raten, ziele gut, dass du
Den Apfel treffest auf den ersten Schuss,
Denn fehlst du ihn, so ist dein Kopf verloren.

*(Alle geben Zeichen des Schreckens.)*

10 TELL: Herr – Welches Ungeheure sinnet Ihr
Mir an – Ich soll vom Haupte meines Kindes –
– Nein, nein doch, lieber Herr, das kömmt Euch nicht
Zu Sinn – Verhüt's der gnäd'ge Gott – das könnt Ihr
Im Ernst von einem Vater nicht begehren!

15 GESSLER: Du wirst den Apfel schießen von dem Kopf
Des Knaben – Ich begehr's und will's.

TELL: Ich soll
Mit meiner Armbrust auf das liebe Haupt
Des eignen Kindes zielen – Eher sterb ich!

20 GESSLER: Du schießest oder stirbst *mit* deinem Knaben.

TELL: Ich soll der Mörder werden meines Kinds!
Herr, Ihr habt keine Kinder – wisset nicht,
Was sich bewegt in eines Vaters Herzen.

GESSLER: Ei, Tell, du bist ja plötzlich so besonnen!
25 Man sagte mir, dass du ein Träumer seist,
Und dich entfernst von andrer Menschen Weise.
Du liebst das Seltsame – drum hab ich jetzt
Ein eigen Wagstück für dich ausgesucht.
Ein andrer wohl bedächte sich – *Du* drückst
30 Die Augen zu, und greifst es herzhaft an.

BERTHA: Scherzt nicht, o Herr! mit diesen armen Leuten!
Ihr seht sie bleich und zitternd stehn – So wenig
Sind sie Kurzweils gewohnt aus Eurem Munde.

GESSLER: Wer sagt Euch, dass ich scherze?

5 *(Greift nach einem Baumzweige, der über ihn herhängt.)*

Hier ist der Apfel.
Man mache Raum – Er nehme seine Weite,
Wie's Brauch ist – Achtzig Schritte geb ich ihm –
Nicht weniger, noch mehr – Er rühmte sich,
10 Auf ihrer hundert seinen Mann zu treffen –
Jetzt, Schütze, triff, und fehle nicht das Ziel!

RUDOLF DER HARRAS:
Gott, das wird ernsthaft – Falle nieder, Knabe,
Es gilt, und fleh den Landvogt um dein Leben.

15 WALTHER FÜRST *(beiseite zu Melchthal, der kaum seine
Ungeduld bezwingt)*:
Haltet an Euch, ich fleh Euch drum, bleibt ruhig.

BERTHA *(zum Landvogt)*:
Lasst es genug sein, Herr! Unmenschlich ist's,
20 Mit eines Vaters Angst also zu spielen.
Wenn dieser arme Mann auch Leib und Leben
Verwirkt durch seine leichte Schuld, bei Gott!
Er hätte jetzt zehnfachen Tod empfunden.
Entlasst ihn ungekränkt in seine Hütte,
25 Er hat Euch kennen lernen, dieser Stunde
Wird er und seine Kindeskinder denken.

GESSLER: Öffnet die Gasse – Frisch! Was zauderst du?
Dein Leben ist verwirkt, ich kann dich töten,
Und sieh, ich lege gnädig dein Geschick
30 In deine eigne kunstgeübte Hand.

22 **verwirken** einbüßen

137

Der kann nicht klagen über harten Spruch,
Den man zum Meister seines Schicksals macht.
Du rühmst dich deines sichern Blicks. Wohlan!
Hier gilt es, *Schütze*, deine Kunst zu zeigen,
5    Das Ziel ist würdig und der Preis ist groß!
Das Schwarze treffen in der Scheibe, *das*
Kann auch ein andrer! *der* ist mir der Meister,
Der seiner Kunst gewiss ist überall,
Dem 's Herz nicht in die Hand tritt noch ins Auge.

10    WALTHER FÜRST *(wirft sich vor ihm nieder)*:
Herr Landvogt, wir erkennen Eure Hoheit,
Doch lasset Gnad' vor Recht ergehen, nehmt
Die Hälfte meiner Habe, nehmt sie ganz,
Nur dieses Grässliche erlasset einem Vater!

15    WALTHER TELL:
Großvater, knie nicht vor dem falschen Mann!
Sagt, wo ich hinstehn soll, ich fürcht mich nicht,
Der Vater trifft den Vogel ja im Flug,
Er wird nicht fehlen auf das Herz des Kindes.

20    STAUFFACHER:
Herr Landvogt, rührt Euch nicht des Kindes Unschuld?

RÖSSELMANN: O denkt, dass ein Gott im Himmel ist,
Dem Ihr müsst Rede stehn für Eure Taten.

GESSLER *(zeigt auf den Knaben)*:
25    Man bind' ihn an die Linde dort!

WALTHER TELL: Mich binden!
Nein, ich will nicht gebunden sein. Ich will
Still halten, wie ein Lamm, und auch nicht atmen.
Wenn ihr mich bindet, nein, so kann ich's nicht,
30    So werd ich toben gegen meine Bande.

RUDOLF DER HARRAS:
Die Augen nur lass dir verbinden, Knabe.

19 **fehlen** sich irren, etwas verfehlen

WALTHER TELL: Warum die Augen? Denket Ihr, ich fürchte
Den Pfeil von Vaters Hand? Ich will ihn fest
Erwarten, und nicht zucken mit den Wimpern.
– Frisch, Vater, zeig's, dass du ein Schütze bist,
Er glaubt dir's nicht, er denkt uns zu verderben –
Dem Wütrich zum Verdrusse, schieß und triff.

*(Er geht an die Linde, man legt ihm den Apfel auf.)*

MELCHTHAL *(zu den Landleuten)*:
Was? Soll der Frevel sich vor unsern Augen
Vollenden? Wozu haben wir geschworen?

STAUFFACHER: Es ist umsonst. Wir haben keine Waffen,
Ihr seht den Wald von Lanzen um uns her.

MELCHTHAL: O hätten wir's mit frischer Tat vollendet,
Verzeih's Gott denen, die zum Aufschub rieten!

GESSLER *(zum Tell)*:
Ans Werk! Man führt die Waffen nicht vergebens.
Gefährlich ist's, ein Mordgewehr zu tragen,
Und auf den Schützen springt der Pfeil zurück.
Dies stolze Recht, das sich der Bauer nimmt,
Beleidiget den höchsten Herrn des Landes.
Gewaffnet sei niemand, als wer gebietet.
Freut's euch, den Pfeil zu führen und den Bogen,
Wohl, so will *ich* das Ziel euch dazu geben.

TELL *(spannt die Armbrust und legt den Pfeil auf)*:
Öffnet die Gasse! Platz!

STAUFFACHER:
Was, Tell? Ihr wolltet – Nimmermehr – Ihr zittert,
Die Hand erbebt Euch, Eure Kniee wanken –

TELL *(lässt die Armbrust sinken)*:
Mir schwimmt es vor den Augen!

9 **Frevel** Mißachtung der göttlichen oder menschlichen Ordnung

WEIBER: Gott im Himmel!

TELL *(zum Landvogt)*:
Erlasset mir den Schuss. Hier ist mein Herz!

*(Er reißt die Brust auf.)*

5 Ruft Eure Reisigen und stoßt mich nieder.

GESSLER: Ich will dein Leben nicht, ich will den Schuss.
– Du kannst ja alles, Tell, an nichts verzagst du,
Das Steuerruder führst du wie den Bogen,
Dich schreckt kein Sturm, wenn es zu retten gilt,
10 Jetzt, Retter, hilf dir selbst – du rettest alle!

*(Tell steht in fürchterlichem Kampf, mit den Händen
zuckend und die rollenden Augen bald auf den Landvogt,
bald zum Himmel gerichtet. – Plötzlich greift er in seinen
Köcher, nimmt einen zweiten Pfeil heraus und steckt ihn
15 in seinen Goller. Der Landvogt bemerkt alle diese
Bewegungen.)*

WALTHER TELL *(unter der Linde)*:
Vater, schieß zu, ich fürcht mich nicht.

TELL: Es muss!

20 *(Er rafft sich zusammen und legt an.)*

RUDENZ *(der die ganze Zeit über in der heftigsten
Spannung gestanden und mit Gewalt an sich gehalten,
tritt hervor)*:
Herr Landvogt, weiter werdet Ihr's nicht treiben,
25 Ihr werdet *nicht* – Es war nur eine Prüfung –
Den Zweck habt Ihr erreicht – Zu weit getrieben
Verfehlt die Strenge ihres weisen Zwecks,
Und allzu straff gespannt zerspringt der Bogen.

15 **Goller** Lederbekleidung

GESSLER: Ihr schweigt, bis man Euch aufruft.

RUDENZ: Ich *will* reden,
Ich darf's, des Königs Ehre ist mir heilig,
Doch solches Regiment muss Hass erwerben.
5 Das ist des Königs Wille nicht – Ich darf's
Behaupten – Solche Grausamkeit verdient
Mein Volk nicht, dazu habt Ihr keine Vollmacht.

GESSLER: Ha, Ihr erkühnt Euch!

RUDENZ: Ich hab still geschwiegen
10 Zu allen schweren Taten, die ich sah,
Mein sehend Auge hab ich zugeschlossen,
Mein überschwellend und empörtes Herz
Hab ich hinabgedrückt in meinen Busen.
Doch länger schweigen wär Verrat zugleich
15 An meinem Vaterland und an dem Kaiser.

BERTHA *(wirft sich zwischen ihn und den Landvogt)*:
O Gott, Ihr reizt den Wütenden noch mehr.

RUDENZ: Mein Volk verließ ich, meinen Blutsverwandten
Entsagt ich, alle Bande der Natur
20 Zerriss ich, um an Euch mich anzuschließen –
Das Beste aller glaubt ich zu befördern,
Da ich des Kaisers Macht befestigte –
Die Binde fällt von meinen Augen – Schaudernd
Seh ich an einen Abgrund mich geführt –
25 Mein freies Urteil habt Ihr irrgeleitet,
Mein redlich Herz verführt – Ich war daran,
Mein Volk in bester Meinung zu verderben.

GESSLER: Verwegner, diese Sprache deinem Herrn?

RUDENZ: Der Kaiser ist mein Herr, nicht Ihr – Frei bin ich
30 Wie Ihr geboren, und ich messe mich
Mit Euch in jeder ritterlichen Tugend.
Und stündet Ihr nicht hier in Kaisers Namen,

Den ich verehre, selbst wo man ihn schändet,
Den Handschuh wärf ich vor Euch hin, Ihr solltet
Nach ritterlichem Brauch mir Antwort geben.
– Ja, winkt nur Euren Reisigen – Ich stehe
5    Nicht wehrlos da, wie *die* –

*(Auf das Volk zeigend.)*

Ich hab ein Schwert,
Und wer mir naht –

STAUFFACHER *(ruft)*: Der Apfel ist gefallen!

10    *(Indem sich alle nach dieser Seite gewendet und Bertha*
*zwischen Rudenz und den Landvogt sich geworfen, hat*
*Tell den Pfeil abgedrückt.)*

RÖSSELMANN: Der Knabe lebt!

VIELE STIMMEN: Der Apfel ist getroffen!

15    *(Walther Fürst schwankt und droht zu sinken, Bertha*
*hält ihn.)*

GESSLER *(erstaunt)*: Er hat geschossen? Wie? der Rasende!

BERTHA: Der Knabe lebt! kommt zu Euch, guter Vater!

WALTHER TELL *(kommt mit dem Apfel gesprungen)*:
20    Vater, hier ist der Apfel – Wusst ich's ja,
Du würdest deinen Knaben nicht verletzen.

*(Tell stand mit vorgebognem Leib, als wollt' er dem Pfeil*
*folgen – die Armbrust entsinkt seiner Hand – wie er den*
*Knaben kommen sieht, eilt er ihm mit ausgebreiteten*
25    *Armen entgegen und hebt ihn mit heftiger Inbrunst zu*

---

2 **Handschuh hinwerfen** Zeichen für eine Kriegserklärung

*seinem Herzen hinauf, in dieser Stellung sinkt er kraftlos zusammen. Alle stehen gerührt.)*

BERTHA: O güt'ger Himmel!

WALTHER FÜRST *(zu Vater und Sohn)*:
Kinder! meine Kinder!

STAUFFACHER: Gott sei gelobt!

LEUTHOLD: Das war ein Schuss! Davon
Wird man noch reden in den spätsten Zeiten.

RUDOLF DER HARRAS:
Erzählen wird man von dem Schützen Tell,
Solang die Berge stehn auf ihrem Grunde.

*(Reicht dem Landvogt den Apfel.)*

GESSLER: Bei Gott, der Apfel mitten durchgeschossen!
Es war ein Meisterschuss, ich muss ihn loben.

RÖSSELMANN:
Der Schuss war gut, doch wehe dem, der ihn
Dazu getrieben, dass er Gott versuchte.

STAUFFACHER:
Kommt zu Euch, Tell, steht auf, Ihr habt Euch männlich
Gelöst, und frei könnt Ihr nach Hause gehen.

RÖSSELMANN:
Kommt, kommt und bringt der Mutter ihren Sohn.

*(Sie wollen ihn wegführen.)*

GESSLER: Tell, höre!

TELL *(kommt zurück)*: Was befehlt Ihr, Herr?

GESSLER: Du stecktest
Noch einen zweiten Pfeil zu dir – Ja, ja,
Ich sah es wohl – Was meintest du damit?

TELL *(verlegen)*:
5   Herr, das ist also bräuchlich bei den Schützen.

GESSLER: Nein, Tell, die Antwort lass ich dir nicht gelten,
Es wird was anders wohl bedeutet haben.
Sag mir die Wahrheit frisch und fröhlich, Tell,
Was es auch sei, dein Leben sichr' ich dir.
10   Wozu der zweite Pfeil?

TELL: Wohlan, o Herr,
Weil Ihr mich meines Lebens habt gesichert,
So will ich Euch die Wahrheit gründlich sagen.

*(Er zieht den Pfeil aus dem Goller und sieht den*
15   `*Landvogt mit einem furchtbaren Blick an.)*

Mit diesem zweiten Pfeil durchschoss ich – Euch,
Wenn ich mein liebes Kind getroffen hätte,
Und Eurer – wahrlich! hätt ich nicht gefehlt.

GESSLER: Wohl, Tell! Des Lebens hab ich dich gesichert,
20   Ich gab mein Ritterwort, das will ich halten –
Doch weil ich deinen bösen Sinn erkannt,
Will ich dich führen lassen und verwahren,
Wo weder Mond noch Sonne dich bescheint,
Damit ich sicher sei vor deinen Pfeilen.
25   Ergreift ihn, Knechte! Bindet ihn!

*(Tell wird gebunden.)*

STAUFFACHER: Wie, Herr?
So könntet Ihr an einem Manne handeln,
An dem sich Gottes Hand sichtbar verkündigt?

GESSLER: Lass sehn, ob sie ihn zweimal retten wird.
– Man bring' ihn auf mein Schiff, ich folge nach
Sogleich, ich selbst will ihn nach Küßnacht führen.

RÖSSELMANN: Ihr wollt ihn außer Lands gefangen führen?

5 LANDLEUTE: Das dürft Ihr nicht, das darf der Kaiser nicht,
Das widerstreitet unsern Freiheitsbriefen!

GESSLER: Wo sind sie? Hat der Kaiser sie bestätigt?
Er hat sie nicht bestätigt – Diese Gunst
Muss erst erworben werden durch Gehorsam.
10 Rebellen seid ihr alle gegen Kaisers
Gericht und nährt verwegene Empörung.
Ich kenn euch alle – ich durchschau euch ganz –
*Den* nehm ich jetzt heraus aus eurer Mitte,
Doch alle seid ihr teilhaft seiner Schuld.
15 Wer klug ist, lerne schweigen und gehorchen.

*(Er entfernt sich, Bertha, Rudenz, Harras und Knechte
folgen, Frießhardt und Leuthold bleiben zurück.)*

WALTHER FÜRST (*in heftigem Schmerz*):
Es ist vorbei, er hat's beschlossen, mich
20 Mit meinem ganzen Hause zu verderben!

STAUFFACHER (*zum Tell*):
O warum musstet Ihr den Wütrich reizen!

TELL: Bezwinge sich, wer meinen Schmerz gefühlt!

STAUFFACHER: O nun ist alles, alles hin! Mit Euch
25 Sind wir gefesselt alle und gebunden!

LANDLEUTE (*umringen den Tell*):
Mit Euch geht unser letzter Trost dahin!

LEUTHOLD (*nähert sich*):
Tell, es erbarmt mich – doch ich muss gehorchen.

TELL: Lebt wohl!

WALTHER TELL *(sich mit heftigem Schmerz an ihm
schmiegend)*: O Vater! Vater! Lieber Vater!

TELL *(hebt die Arme zum Himmel)*:
5    Dort droben ist dein Vater! den ruf an!

STAUFFACHER: Tell, sag ich Eurem Weibe nichts von Euch?

TELL *(hebt den Knaben mit Inbrunst an seine Brust)*:
Der Knab' ist unverletzt, mir wird Gott helfen.

*(Reißt sich schnell los und folgt den Waffenknechten.)*

# VIERTER AUFZUG

# Erste Szene

*Östliches Ufer des Vierwaldstättensees.*

*Die seltsam gestalteten schroffen Felsen im Westen schließen den Prospekt.*

*Der See ist bewegt, heftiges Rauschen und Tosen,*
5 *dazwischen Blitze und Donnerschläge.*

*Kurz von Gersau. Fischer und Fischerknabe.*

KUNZ: Ich sah's mit Augen an, Ihr könnt mir's glauben,
's ist alles so geschehn, wie ich Euch sagte.

FISCHER: Der Tell gefangen abgeführt nach Küßnacht,
10 Der beste Mann im Land, der bravste Arm,
Wenn's einmal gelten sollte für die Freiheit.

KUNZ: Der Landvogt führt ihn selbst den See herauf,
Sie waren eben dran sich einzuschiffen,
Als ich von Flüelen abfuhr, doch der Sturm,
15 Der eben jetzt im Anzug ist, und der
Auch mich gezwungen, eilends hier zu landen,
Mag ihre Abfahrt wohl verhindert haben.

FISCHER: Der Tell in Fesseln, in des Vogts Gewalt!
O glaubt, er wird ihn tief genug vergraben,
20 Dass er des Tages Licht nicht wieder sieht!
Denn fürchten muss er die gerechte Rache
Des freien Mannes, den er schwer gereizt!

KUNZ: Der Altlandammann auch, der edle Herr
Von Attinghausen, sagt man, lieg' am Tode.

25 FISCHER: So bricht der letzte Anker unsrer Hoffnung!
Der war es noch allein, der seine Stimme
Erheben durfte für des Volkes Rechte!

KUNZ:  Der Sturm nimmt überhand. Gehabt Euch wohl,
Ich nehme Herberg in dem Dorf, denn heut
Ist doch an keine Abfahrt mehr zu denken.

*(Geht ab.)*

5 FISCHER:  Der Tell gefangen und der Freiherr tot!
Erheb die freche Stirne, Tyrannei,
Wirf alle Scham hinweg, der Mund der Wahrheit
Ist stumm, das seh'nde Auge ist geblendet,
Der Arm, der retten sollte, ist gefesselt!

10 KNABE:  Es hagelt schwer, kommt in die Hütte, Vater,
Es ist nicht kommlich, hier im Freien hausen.

FISCHER:  Raset, ihr Winde, flammt herab, ihr Blitze,
Ihr Wolken berstet, gießt herunter, Ströme
Des Himmels und ersäuft das Land! Zerstört
15 Im Keim die ungeborenen Geschlechter!
Ihr wilden Elemente werdet Herr,
Ihr Bären kommt, ihr alten Wölfe wieder
Der großen Wüste, euch gehört das Land,
Wer wird hier leben wollen ohne Freiheit!

20 KNABE:  Hört, wie der Abgrund tost, der Wirbel brüllt,
So hat's noch nie gerast in diesem Schlunde!

FISCHER:  Zu zielen auf des eignen Kindes Haupt,
Solches ward keinem Vater noch geboten!
Und die Natur soll nicht in wildem Grimm
25 Sich drob empören – O mich soll's nicht wundern,
Wenn sich die Felsen bücken in den See,
Wenn jene Zacken, jene Eisestürme,
Die nie auftauten seit dem Schöpfungstag,
Von ihren hohen Kulmen niederschmelzen,
30 Wenn die Berge brechen, wenn die alten Klüfte

11 **kommlich** bekömmlich – 29 **Kulmen** Bergkuppe

**149**

Einstürzen, eine zweite Sündflut alle
Wohnstätten der Lebendigen verschlingt!

*(Man hört läuten.)*

KNABE: Hört Ihr, sie läuten droben auf dem Berg,
5    Gewiss hat man ein Schiff in Not gesehn,
Und zieht die Glocke, dass gebetet werde.

*(Steigt auf eine Anhöhe.)*

FISCHER: Wehe dem Fahrzeug, das jetzt unterwegs,
In dieser furchtbarn Wiege wird gewiegt!
10    Hier ist das Steuer unnütz und der Steurer,
Der Sturm ist Meister, Wind und Welle spielen
Ball mit dem Menschen – Da ist nah und fern
Kein Busen, der ihm freundlich Schutz gewährte!
Handlos und schroff ansteigend starren ihm
15    Die Felsen, die unwirtlichen, entgegen,
Und weisen ihm nur ihre steinern schroffe Brust.

KNABE *(deutet links)*:
Vater, ein Schiff, es kommt von Flüelen her.

FISCHER: Gott helf' den armen Leuten! Wenn der Sturm
20    In dieser Wasserkluft sich erst verfangen,
Dann rast er um sich mit des Raubtiers Angst,
Das an des Gitters Eisenstäbe schlägt,
Die Pforte sucht er heulend sich vergebens,
Denn ringsum schränken ihn die Felsen ein,
25    Die himmelhoch den engen Pass vermauren.

*(Er steigt auf die Anhöhe.)*

KNABE: Es ist das Herrenschiff von Uri, Vater,
Ich kenn's am roten Dach und an der Fahne.

---

14 **handlos** eine Hand findet keinen Halt

**150**

FISCHER: Gerichte Gottes! Ja, er ist es selbst,
Der Landvogt, der da fährt – Dort schifft er hin,
Und führt im Schiffe sein Verbrechen mit!
Schnell hat der Arm des Rächers ihn gefunden,
Jetzt kennt er über sich den stärkern Herrn,
Diese Wellen geben nicht auf seine Stimme,
Diese Felsen bücken ihre Häupter nicht
Vor seinem Hute – Knabe, bete nicht,
Greif nicht dem Richter in den Arm!

KNABE: Ich bete für den Landvogt nicht – Ich bete
Für den Tell, der auf dem Schiff sich mit befindet.

FISCHER: O Unvernunft des blinden Elements!
Musst du, um *einen* Schuldigen zu treffen,
Das Schiff mitsamt dem Steuermann verderben!

KNABE: Sieh, sieh, sie waren glücklich schon vorbei
Am *Buggisgrat*, doch die Gewalt des Sturms,
Der von dem *Teufelsmünster* widerprallt,
Wirft sie zum großen *Axenberg* zurück.
– Ich seh sie nicht mehr.

FISCHER: Dort ist das *Hakmesser*,
Wo schon der Schiffe mehrere gebrochen.
Wenn sie nicht weislich dort vorüberlenken,
So wird das Schiff zerschmettert an der Fluh,
Die sich gähstotzig absenkt in die Tiefe.
– Sie haben einen guten Steuermann
Am Bord, könnt *einer* retten, wär's der Tell,
Doch dem sind Arm und Hände ja gefesselt.

*Wilhelm Tell mit der Armbrust. Er kommt mit raschen
Schritten, blickt erstaunt umher und zeigt die heftigste
Bewegung. Wenn er mitten auf der Szene ist, wirft er sich
nieder, die Hände zu der Erde und dann zum Himmel
ausbreitend.*

23 **Fluh** Felswand

**151**

KNABE *(bemerkt ihn)*:
  Sieh, Vater, wer der Mann ist, der dort kniet?

FISCHER: Er fasst die Erde an mit seinen Händen,
  Und scheint wie außer sich zu sein.

5 KNABE *(kommt vorwärts)*:
  Was seh ich! Vater! Vater, kommt und seht!

FISCHER *(nähert sich)*:
  Wer ist es? – Gott im Himmel! Was! der Tell?
  Wie kommt Ihr hieher? Redet!

10 KNABE: Wart Ihr nicht
  Dort auf dem Schiff gefangen und gebunden?

FISCHER: Ihr wurdet nicht nach Küßnacht abgeführt?

TELL *(steht auf)*: Ich bin befreit.

FISCHER UND KNABE: Befreit! O Wunder Gottes!

15 KNABE: Wo kommt Ihr her?

TELL: Dort aus dem Schiffe.

FISCHER: Was?

KNABE *(zugleich)*: Wo ist der Landvogt?

TELL: Auf den Wellen treibt er.

20 FISCHER: Ist's möglich? Aber *Ihr*? Wie seid Ihr hier?
  Seid Euren Banden und dem Sturm entkommen?

TELL: Durch Gottes gnäd'ge Fürsehung – Hört an!

FISCHER UND KNABE: O redet, redet!

TELL: Was in Altdorf sich
25  Begeben, wisst Ihr's?

FISCHER: Alles weiß ich, redet!

**152**

TELL: Dass mich der Landvogt fahren ließ und binden,
Nach seiner Burg zu Küßnacht wollte führen.

FISCHER: Und sich mit Euch zu Flüelen eingeschifft!
Wir wissen alles, sprecht, wie Ihr entkommen?

5 TELL: Ich lag im Schiff, mit Stricken fest gebunden,
Wehrlos, ein aufgegebner Mann – nicht hofft ich,
Das frohe Licht der Sonne mehr zu sehn,
Der Gattin und der Kinder liebes Antlitz,
Und trostlos blickt ich in die Wasserwüste –

10 FISCHER: O armer Mann!

TELL: So fuhren wir dahin,
Der Vogt, Rudolf der Harras und die Knechte.
Mein Köcher aber mit der Armbrust lag
Am hintern Gransen bei dem Steuerruder.
15 Und als wir an die Ecke jetzt gelangt
Beim kleinen Axen, da verhängt' es Gott,
Dass solch ein grausam mördrisch Ungewitter
Gählings herfürbrach aus des Gotthards Schlünden,
Dass allen Ruderern das Herz entsank,
20 Und meinten alle, elend zu ertrinken.
Da hört ich's, wie der Diener einer sich
Zum Landvogt wendet' und die Worte sprach:
»Ihr sehet Eure Not und unsre, Herr,
Und dass wir all am Rand des Todes schweben –
25 Die Steuerleute aber wissen sich
Für großer Furcht nicht Rat und sind des Fahrens
Nicht wohl berichtet – Nun aber ist der Tell
Ein starker Mann und weiß ein Schiff zu steuern,
Wie, wenn wir sein jetzt brauchten in der Not? «
30 Da sprach der Vogt zu mir: »Tell, wenn du dir's
Getrautest, uns zu helfen aus dem Sturm,
So möcht ich dich der Bande wohl entled'gen. «

---

1 **fahren** fangen – 14 **Gransen** vorderer oder hinterer Teil (Bug oder Heck) eines Schiffes –
16 **verhängen** gebieten, befehlen – 27 **nicht wohl berichtet** nicht erfahren

Ich aber sprach: »Ja, Herr, mit Gottes Hülfe
Getrau ich mir's, und helf uns wohl hiedannen.«
So ward ich meiner Bande los und stand
Am Steuerruder und fuhr redlich hin.
5   Doch schielt ich seitwärts, wo mein Schießzeug lag,
Und an dem Ufer merkt' ich scharf umher,
Wo sich ein Vorteil auftät zum Entspringen.
Und wie ich eines Felsenriffs gewahre,
Das abgeplattet vorsprang in den See –

10  FISCHER: Ich kenn's, es ist am Fuß des großen Axen,
Doch nicht für möglich acht ich's – so gar steil
Geht's an – vom Schiff es springend abzureichen –

TELL: Schrie ich den Knechten, handlich zuzugehn,
Bis dass wir vor die Felsenplatte kämen,
15  Dort, rief ich, sei das Ärgste überstanden –
Und als wir sie frischrudernd bald erreicht,
Fleh ich die Gnade Gottes an, und drücke,
Mit allen Leibeskräften angestemmt,
Den hintern Gransen an die Felswand hin –
20  Jetzt schnell mein Schießzeug fassend, schwing ich selbst
Hochspringend auf die Platte mich hinauf,
Und mit gewalt'gem Fußstoß hinter mich
Schleudr' ich das Schifflein in den Schlund der Wasser –
Dort mag's, wie Gott will, auf den Wellen treiben!
25  So bin ich hier, gerettet aus des Sturms
Gewalt und aus der schlimmeren der Menschen.

FISCHER: Tell, Tell, ein sichtbar Wunder hat der Herr
An Euch getan, kaum glaub ich's meinen Sinnen –
Doch saget! Wo gedenket Ihr jetzt hin,
30  Denn Sicherheit ist nicht für Euch, wofern
Der Landvogt lebend diesem Sturm entkommt.

2 **hiedannen** hinweg

**154**

TELL: Ich hört ihn sagen, da ich noch im Schiff
    Gebunden lag, er woll' bei Brunnen landen,
    Und über Schwyz nach seiner Burg mich führen.

FISCHER: Will er den Weg dahin zu Lande nehmen?

5  TELL: Er denkt's.

FISCHER: O so verbergt Euch ohne Säumen,
    Nicht zweimal hilft Euch Gott aus seiner Hand.

TELL:
    Nennt mir den nächsten Weg nach Arth und Küßnacht.

10  FISCHER: Die offne Straße zieht sich über Steinen,
    Doch einen kürzern Weg und heimlichern
    Kann Euch mein Knabe über Lowerz führen.

TELL *(gibt ihm die Hand)*:
    Gott lohn' Euch Eure Guttat. Lebet wohl.

15  *(Geht und kehrt wieder um.)*

    – Habt Ihr nicht auch im Rütli mitgeschworen?
    Mir deucht, man nannt Euch mir –

FISCHER: Ich war dabei,
    Und hab den Eid des Bundes mit beschworen.

20  TELL: So eilt nach Bürglen, tut die Lieb' mir an,
    Mein Weib verzagt um mich, verkündet ihr,
    Dass ich gerettet sei und wohl geborgen.

FISCHER: Doch wohin sag ich ihr, dass Ihr geflohn?

TELL: Ihr werdet meinen Schwäher bei ihr finden
25    Und andre, die im Rütli mitgeschworen –
    Sie sollen wacker sein und gutes Muts,
    Der Tell sei *frei* und seines Armes mächtig,
    Bald werden sie ein Weitres von mir hören.

17 **mir deucht** ich dachte mir – 24 **Schwäher** Schwiegervater

**155**

FISCHER: Was habt Ihr im Gemüt? Entdeckt mir's frei.

TELL: Ist es *getan*, wird's auch zur Rede kommen.

*(Geht ab.)*

FISCHER: Zeig ihm den Weg, Jenni – Gott steh ihm bei!
5    Er führt's zum Ziel, was er auch unternommen.

*(Geht ab.)*

---

1 **frei** freimütig, ohne Scheu

## Zweite Szene

*Edelhof zu Attinghausen.*

*Der Freiherr, in einem Armsessel, sterbend. Walther Fürst, Stauffacher, Melchthal und Baumgarten um ihn beschäftigt. Walther Tell knieend vor dem Sterbenden.*

WALTHER FÜRST:  Es ist vorbei mit ihm, er ist hinüber.

STAUFFACHER:
Er liegt nicht wie ein Toter – Seht, die Feder
Auf seinen Lippen regt sich! Ruhig ist
Sein Schlaf, und friedlich lächeln seine Züge.

*(Baumgarten geht an die Türe und spricht mit jemand.)*

WALTHER FÜRST *(zu Baumgarten)*:  Wer ist's?

BAUMGARTEN *(kommt zurück)*:
Es ist Frau Hedwig, Eure Tochter,
Sie will Euch sprechen, will den Knaben sehn.

*(Walther Tell richtet sich auf.)*

WALTHER FÜRST:
Kann ich sie trösten? Hab ich selber Trost?
Häuft alles Leiden sich auf meinem Haupt?

HEDWIG *(hereindringend)*:
Wo ist mein Kind? Lasst mich, ich muss es sehn –

STAUFFACHER:
Fasst Euch, bedenkt, dass Ihr im Haus des Todes –

HEDWIG *(stürzt auf den Knaben)*:
Mein Wälty! O er lebt mir.

WALTHER TELL *(hängt an ihr)*:  Arme Mutter!

HEDWIG: Ist's auch gewiss? Bist du mir unverletzt?

*(Betrachtet ihn mit ängstlicher Sorgfalt.)*

Und ist es möglich? Konnt er auf dich zielen?
Wie konnt er's? O er hat kein Herz – Er konnte
5   Den Pfeil abdrücken auf sein eignes Kind!

WALTHER FÜRST:
Er tat's mit Angst, mit schmerzzerrissner Seele,
Gezwungen tat er's, denn es galt das Leben.

HEDWIG: O hätt er eines Vaters Herz, eh er's
10   Getan, er wäre tausendmal gestorben!

STAUFFACHER:
Ihr solltet Gottes gnäd'ge Schickung preisen,
Die es so gut gelenkt –

HEDWIG: Kann ich vergessen,
15   Wie's hätte kommen *können* – Gott des Himmels!
Und lebt ich achtzig Jahr – Ich seh den Knaben ewig
Gebunden stehn, den Vater auf ihn zielen,
Und ewig fliegt der Pfeil mir in das Herz.

MELCHTHAL: Frau, wüsstet Ihr, wie ihn der Vogt gereizt!

20   HEDWIG: O rohes Herz der Männer! Wenn ihr Stolz
Beleidigt wird, dann achten sie nichts mehr,
Sie setzen in der blinden Wut des Spiels
Das Haupt des Kindes und das Herz der Mutter!

BAUMGARTEN: Ist Eures Mannes Los nicht hart genug,
25   Dass Ihr mit schwerem Tadel ihn noch kränkt?
Für *seine* Leiden habt ihr kein Gefühl?

HEDWIG *(kehrt sich nach ihm um und sieht ihn mit einem großen Blick an)*:
Hast du nur Tränen für des Freundes Unglück?
– Wo waret ihr, da man den Trefflichen
5 In Bande schlug? Wo war *da* eure Hülfe?
Ihr sahet zu, ihr ließt das Grässliche geschehn,
Geduldig littet ihr's, dass man den Freund
Aus eurer Mitte führte – Hat der Tell
Auch so an *euch* gehandelt? Stand er auch
10 Bedaurend da, als hinter dir die Reiter
Des Landvogts drangen, als der wüt'ge See
Vor dir erbrauste? Nicht mit müß'gen Tränen
Beklagt' er dich, in den Nachen sprang er, Weib
Und Kind vergaß er und befreite dich –

15 WALTHER FÜRST:
Was konnten wir zu seiner Rettung wagen,
Die kleine Zahl, die unbewaffnet war!

HEDWIG *(wirft sich an seine Brust)*:
O Vater! Und auch du hast ihn verloren!
20 Das Land, wir alle haben ihn verloren!
Uns allen fehlt er, ach! wir fehlen ihm!
Gott rette seine Seele vor Verzweiflung.
Zu ihm hinab ins öde Burgverlies
Dringt keines Freundes Trost – Wenn er erkrankte!
25 Ach, in des Kerkers feuchter Finsternis
Muss er erkranken – Wie die Alpenrose
Bleicht und verkümmert in der Sumpfesluft,
So ist für ihn kein Leben als im Licht
Der Sonne, in dem Balsamstrom der Lüfte.
30 Gefangen! Er! Sein Atem ist die Freiheit,
Er kann nicht leben in dem Hauch der Grüfte.

STAUFFACHER: Beruhigt Euch. Wir alle wollen handeln,
Um seinen Kerker aufzutun.

HEDWIG: Was könnt *ihr* schaffen ohne ihn? – Solang
Der Tell noch frei war, ja, *da* war noch Hoffnung,

5 Da hatte noch die Unschuld einen Freund,
Da hatte einen Helfer der Verfolgte,
Euch alle rettete der Tell – Ihr alle
Zusammen könnt nicht *seine* Fesseln lösen!

*(Der Freiherr erwacht.)*

10 BAUMGARTEN: Er regt sich, still!

ATTINGHAUSEN *(sich aufrichtend)*: Wo ist er?

STAUFFACHER: Wer?

ATTINGHAUSEN: Er fehlt mir,
Verlässt mich in dem letzten Augenblick!

15 STAUFFACHER:
Er meint den Junker – Schickte man nach ihm?

WALTHER FÜRST: Es ist nach ihm gesendet – Tröstet Euch!
Er hat sein Herz gefunden, er ist unser.

ATTINGHAUSEN: Hat er gesprochen für sein Vaterland?

20 STAUFFACHER: Mit Heldenkühnheit.

ATTINGHAUSEN: Warum kommt er nicht,
Um meinen letzten Segen zu empfangen?
Ich fühle, dass es schleunig mit mir endet.

STAUFFACHER: Nicht also, edler Herr! Der kurze Schlaf

25 Hat Euch erquickt, und hell ist Euer Blick.

---

16 **Junker** junger Herr, Edelmann (*hier:* Ulrich v. Rudenz)

ATTINGHAUSEN:
   Der Schmerz ist Leben, er verließ mich auch,
   Das Leiden ist, so wie die Hoffnung, aus.

   *(Er bemerkt den Knaben.)*

5   Wer ist der Knabe?

WALTHER FÜRST:  Segnet ihn, o Herr!
   Er ist mein Enkel und ist vaterlos.

   *(Hedwig sinkt mit dem Knaben vor dem Sterbenden
   nieder.)*

10   ATTINGHAUSEN:  Und vaterlos lass ich euch alle, alle
   Zurück – Weh mir, dass meine letzten Blicke
   Den Untergang des Vaterlands gesehn!
   Musst ich des Lebens höchstes Maß erreichen,
   Um ganz mit allen Hoffnungen zu sterben!

15   STAUFFACHER *(zu Walther Fürst)*:
   Soll er in diesem finstern Kummer scheiden?
   Erhellen wir ihm nicht die letzte Stunde
   Mit schönem Strahl der Hoffnung? – Edler Freiherr!
   Erhebet Euren Geist! Wir sind nicht ganz
20   Verlassen, sind nicht rettungslos verloren.

ATTINGHAUSEN:  Wer soll euch retten?

WALTHER FÜRST:  Wir uns selbst. Vernehmt!
   Es haben die drei Lande sich das Wort
   Gegeben, die Tyrannen zu verjagen.
25   Geschlossen ist der Bund, ein heil'ger Schwur
   Verbindet uns. Es wird gehandelt werden,
   Eh noch das Jahr den neuen Kreis beginnt,
   Euer Staub wird ruhn in einem freien Lande.

ATTINGHAUSEN: O saget mir! Geschlossen ist der Bund?

MELCHTHAL: Am gleichen Tage werden alle drei
Waldstätte sich erheben. Alles ist
Bereit, und das Geheimnis wohlbewahrt
5    Bis jetzt, obgleich viel Hunderte es teilen.
Hohl ist der Boden unter den Tyrannen,
Die Tage ihrer Herrschaft sind gezählt,
Und bald ist ihre Spur nicht mehr zu finden.

ATTINGHAUSEN: Die festen Burgen aber in den Landen?

10   MELCHTHAL: Sie fallen alle an dem gleichen Tag.

ATTINGHAUSEN:
Und sind die Edeln dieses Bunds teilhaftig?

STAUFFACHER: Wir harren ihres Beistands, wenn es gilt,
Jetzt aber hat der Landmann nur geschworen.

15   ATTINGHAUSEN (*richtet sich langsam in die Höhe, mit
großem Erstaunen*):
Hat sich der Landmann solcher Tat verwogen,
Aus eignem Mittel, ohne Hülf der Edeln,
Hat er der eignen Kraft so viel vertraut –
20   Ja, dann bedarf es unserer nicht mehr,
Getröstet können wir zu Grabe steigen,
Es lebt *nach* uns – durch andre Kräfte will
Das Herrliche der Menschheit sich erhalten.

(*Er legt seine Hand auf das Haupt des Kindes, das vor
25   ihm auf den Knien liegt.*)

Aus diesem Haupte, wo der Apfel lag,
Wird euch die neue bessre Freiheit grünen,
Das Alte stürzt, es ändert sich die Zeit,
Und neues Leben blüht aus den Ruinen.

---

17 **solcher Taten verwogen** zu solchen Taten entschlossen

**162**

STAUFFACHER *(zu Walther Fürst)*:
Seht, welcher Glanz sich um sein Aug ergießt!
Das ist nicht das Erlöschen der Natur,
Das ist der Strahl schon eines neuen Lebens.

5 ATTINGHAUSEN: Der Adel steigt von seinen alten Burgen
Und schwört den Städten seinen Bürgereid,
Im *Üchtland* schon, im *Thurgau* hat's begonnen,
Die edle *Bern* erhebt ihr herrschend Haupt,
*Freiburg* ist eine sichre Burg der Freien,
10 Die rege *Zürich* waffnet ihre Zünfte
Zum kriegerischen Heer – es bricht die Macht
Der Könige sich an ihren ew'gen Wällen –

*(Er spricht das Folgende mit dem Ton eines Sehers – seine
Rede steigt bis zur Begeisterung.)*

15 Die Fürsten seh ich und die edeln Herrn
In Harnischen herangezogen kommen,
Ein harmlos Volk von Hirten zu bekriegen.
Auf Tod und Leben wird gekämpft, und herrlich
Wird mancher Pass durch blutige Entscheidung.
20 Der Landmann stürzt sich mit der nackten Brust,
Ein freies Opfer, in die Schar der Lanzen,
Er bricht sie, und des Adels Blüte fällt,
Es hebt die Freiheit siegend ihre Fahne.

*(Walther Fürsts und Stauffachers Hände fassend.)*

25 Drum haltet fest zusammen – fest und ewig –
Kein Ort der Freiheit sei dem andern fremd –
Hochwachten stellet aus auf euren Bergen,
Dass sich der Bund zum Bunde rasch versammle –
Seid einig – einig – einig –

---

10 **die Zünfte waffnen** die Handwerksgenossenschaften bewaffnen – 16 **Harnisch**
Kriegsausrüstung, Ritterrüstung – 18 **herrlich** frei – 21 **ein freies Opfer** ein freiwilliges Opfer

*(Er fällt in das Küssen zurück – seine Hände halten
entseelt noch die andern gefasst. Fürst und Stauffacher
betrachten ihn noch eine Zeitlang schweigend, dann
treten sie hinweg, jeder seinem Schmerz überlassen.*

5 *Unterdessen sind die Knechte still hereingedrungen, sie
nähern sich mit Zeichen eines stillern oder heftigern
Schmerzens, einige knien bei ihm nieder und weinen auf
seine Hand, während dieser stummen Szene wird die
Burgglocke geläutet.)*

10 *Rudenz zu den Vorigen.*

RUDENZ *(rasch eintretend)*:
Lebt er? O saget, kann er mich noch hören?

WALTHER FÜRST *(deutet hin mit weggewandtem
Gesicht)*: **Ihr** seid jetzt unser Lehensherr und Schirmer,
15 Und dieses Schloss hat einen andern Namen.

RUDENZ *(erblickt den Leichnam und steht von heftigem
Schmerz ergriffen)*:
O güt'ger Gott! – Kommt meine Reu zu spät?
Konnt er nicht wen'ge Pulse länger leben,
20 Um mein geändert Herz zu sehn?
Verachtet hab ich seine treue Stimme,
Da er noch wandelte im Licht – Er ist
Dahin, ist fort auf immerdar und lässt mir
Die schwere unbezahlte Schuld! – O saget!
25 Schied er dahin im Unmut gegen mich?

STAUFFACHER: Er hörte sterbend noch, was Ihr getan,
Und segnete den Mut, mit dem Ihr spracht!

RUDENZ *(kniet an dem Toten nieder)*:
Ja, heil'ge Reste eines teuren Mannes!
30 Entseelter Leichnam! Hier gelob ich dir's
In deine kalte Totenhand – Zerrissen

---

1 **Küssen** Kissen

Hab ich auf ewig alle fremden Bande,
Zurückgegeben bin ich meinem Volk,
Ein Schweizer bin ich und ich will es sein –
Von ganzer Seele – –

5 *(Aufstehend.)*

Trauert um den Freund,
Den Vater aller, doch verzaget nicht!
Nicht bloß sein Erbe ist mir zugefallen,
Es steigt sein Herz, sein Geist auf mich herab,
10 Und leisten soll euch meine frische Jugend,
Was euch sein greises Alter schuldig blieb.
– Ehrwürd'ger Vater, gebt mir Eure Hand!
Gebt mir die Eurige! Melchthal, auch Ihr!
Bedenkt Euch nicht! O wendet Euch nicht weg!
15 Empfanget meinen Schwur und mein Gelübde.

WALTHER FÜRST:
Gebt ihm die Hand. Sein wiederkehrend Herz
Verdient Vertraun.

MELCHTHAL: Ihr habt den Landmann nichts geachtet.
20 Sprecht, wessen soll man sich zu Euch versehn?

RUDENZ: O denkt nicht des Irrtums meiner Jugend!

STAUFFACHER *(zu Melchthal)*:
Seid einig, war das letzte Wort des Vaters,
Gedenket dessen!

25 MELCHTHAL: Hier ist meine Hand!
Des Bauern Handschlag, edler Herr, ist auch
Ein Manneswort! Was ist der Ritter ohne uns?
Und unser Stand ist älter als der Eure.

RUDENZ:
30 Ich ehr ihn, und mein Schwert soll ihn beschützen.

20 **wessen soll man sich zu Euch versehn** was soll man von euch erwarten

**165**

MELCHTHAL: *Der* Arm, Herr Freiherr, der die harte Erde
Sich unterwirft und ihren Schoss befruchtet,
Kann auch des Mannes Brust beschützen.

RUDENZ: Ihr

5 Sollt *meine* Brust, ich will die *eure* schützen,
So sind wir einer durch den andern stark.
– Doch wozu reden, da das Vaterland
Ein Raub noch ist der fremden Tyrannei?
Wenn erst der Boden rein ist von dem Feind,
10 Dann wollen wir's in Frieden schon vergleichen.

*(Nachdem er einen Augenblick innegehalten.)*

Ihr schweigt? Ihr habt mir nichts zu sagen? Wie!
Verdien ich's noch nicht, dass ihr mir vertraut?
So muss ich wider euren Willen mich
15 In das Geheimnis eures Bundes drängen.
– Ihr habt getagt – geschworen auf dem Rütli –
Ich weiß – weiß alles, was ihr dort verhandelt,
Und was mir nicht von euch vertrauet ward,
Ich hab's bewahrt gleich wie ein heilig Pfand.
20 Nie war ich meines Landes Feind, glaubt mir,
Und niemals hätt ich gegen euch gehandelt.
– Doch übel tatet ihr, es zu verschieben,
Die Stunde dringt, und rascher Tat bedarf's –
Der Tell ward schon das Opfer eures Säumens –

25 STAUFFACHER: Das Christfest abzuwarten schwuren wir.

RUDENZ: *Ich* war nicht dort, ich hab nicht mitgeschworen.
Wartet ihr ab, ich handle.

MELCHTHAL: Was? Ihr wolltet –

RUDENZ: Des Landes Vätern zähl ich mich jetzt bei,
30 Und meine erste Pflicht ist, euch zu schützen.

---

10 **in Frieden vergleichen** sich friedlich einig werden – 23 **die Stunde dringt** die Zeit drängt

WALTHER FÜRST: Der Erde diesen teuren Staub zu geben,
Ist Eure nächste Pflicht und heiligste.

RUDENZ: Wenn wir das Land befreit, dann legen wir
Den frischen Kranz des Siegs ihm auf die Bahre.
5 – O Freunde! Eure Sache nicht allein,
Ich habe meine eigne auszufechten
Mit dem Tyrannen – Hört und wisst! Verschwunden
Ist meine Bertha, heimlich weggeraubt,
Mit kecker Freveltat aus unsrer Mitte!

10 STAUFFACHER: Solcher Gewalttat hätte der Tyrann
Wider die freie Edle sich verwogen?

RUDENZ: O meine Freunde! Euch versprach ich Hülfe,
Und ich zuerst muss sie von euch erflehn.
Geraubt, entrissen ist mir die Geliebte,
15 Wer weiß, wo sie der Wütende verbirgt,
Welcher Gewalt sie frevelnd sich erkühnen,
Ihr Herz zu zwingen zum verhassten Band!
Verlasst mich nicht, o helft mir sie erretten –
Sie liebt euch, o sie hat's verdient ums Land,
20 Dass alle Arme sich für sie bewaffnen –

WALTHER FÜRST: Was wollt Ihr unternehmen?

RUDENZ: Weiß ich's? Ach!
In dieser Nacht, die ihr Geschick umhüllt,
In dieses Zweifels ungeheurer Angst,
25 Wo ich nichts Festes zu erfassen weiß,
Ist mir nur dieses in der Seele klar:
Unter den Trümmern der Tyrannenmacht
Allein kann sie hervorgegraben werden,
Die Festen alle müssen wir bezwingen,
30 Ob wir vielleicht in ihren Kerker dringen.

MELCHTHAL:

Kommt, führt uns an. Wir folgen Euch. Warum
Bis morgen sparen, was wir heut vermögen?
Frei war der Tell, als wir im Rütli schwuren,
5 Das Ungeheure war noch nicht geschehen.
Es bringt die Zeit ein anderes Gesetz,
Wer ist so feig, der jetzt noch könnte zagen!

RUDENZ *(zu Stauffacher und Walther Fürst)*:

Indes bewaffnet und zum Werk bereit
10 Erwartet ihr der Berge Feuerzeichen,
Denn schneller als ein Botensegel fliegt,
Soll euch die Botschaft unsers Siegs erreichen,
Und seht ihr leuchten die willkommnen Flammen,
Dann auf die Feinde stürzt, wie Wetters Strahl,
15 Und brecht den Bau der Tyrannei zusammen.

*(Gehen ab.)*

# Dritte Szene

*Die hohle Gasse bei Küßnacht.*

*Man steigt von hinten zwischen Felsen herunter, und die
Wanderer werden, ehe sie auf der Szene erscheinen, schon
von der Höhe gesehen. Felsen umschließen die ganze
Szene, auf einem der vordersten ist ein Vorsprung mit
Gesträuch bewachsen.*

TELL *(tritt auf mit der Armbrust)*:
Durch diese hohle Gasse muss er kommen,
Es führt kein andrer Weg nach Küßnacht – Hier
Vollend ich's – Die Gelegenheit ist günstig.
Dort der Holunderstrauch verbirgt mich ihm,
Von dort herab kann ihn mein Pfeil erlangen,
Des Weges Enge wehret den Verfolgern.
Mach deine Rechnung mit dem Himmel, Vogt,
Fort musst du, deine Uhr ist abgelaufen.

Ich lebte still und harmlos – Das Geschoss
War auf des Waldes Tiere nur gerichtet,
Meine Gedanken waren rein von Mord –
Du hast aus meinem Frieden mich heraus
Geschreckt, in gärend Drachengift hast du
Die Milch der frommen Denkart mir verwandelt,
Zum Ungeheuren hast du mich gewöhnt –
Wer sich des Kindes Haupt zum Ziele setzte,
Der kann auch treffen in das Herz des Feinds.

Die armen Kindlein, die unschuldigen,
Das treue Weib muss ich vor deiner Wut
Beschützen, Landvogt – Da, als ich den Bogenstrang
Anzog – als mir die Hand erzitterte –
Als du mit grausam teuflischer Lust
Mich zwangst, aufs Haupt des Kindes anzulegen –

---

8 **hohle Gasse** Hohlweg durch eine Schlucht – 16 **harmlos** ohne böse Hintergedanken; arglos

Als ich ohnmächtig flehend rang vor dir,
Damals gelobt ich mir in meinem Innern
Mit furchtbarm Eidschwur, den nur Gott gehört,
Dass meines *nächsten* Schusses *erstes* Ziel
5   Dein Herz sein sollte – Was ich mir gelobt
In jenes Augenblickes Höllenqualen,
Ist eine heil'ge Schuld, ich will sie zahlen.

Du bist mein Herr und meines Kaisers Vogt,
Doch nicht der Kaiser hätte sich erlaubt,
10  Was *du* – Er sandte dich in diese Lande,
Um Recht zu sprechen – strenges, denn er zürnet –
Doch nicht, um mit der mörderischen Lust
Dich jedes Greuels straflos zu erfrechen,
Es lebt ein Gott, zu strafen und zu rächen.

15  Komm du hervor, du Bringer bittrer Schmerzen,
Mein teures Kleinod jetzt, mein höchster Schatz –
Ein Ziel will ich dir geben, das bis jetzt
Der frommen Bitte undurchdringlich war –
Doch *dir* soll es nicht widerstehn – Und du,
20  Vertraute Bogensehne, die so oft
Mir treu gedient hat in der Freude Spielen,
Verlass mich nicht im fürchterlichen Ernst.
Nur jetzt noch halte fest, du treuer Strang,
Der mir so oft den herben Pfeil beflügelt –
25  Entränn er jetzo kraftlos meinen Händen,
Ich habe keinen zweiten zu versenden.

*(Wanderer gehen über die Szene.)*

Auf dieser Bank von Stein will ich mich setzen,
Dem Wanderer zur kurzen Ruh bereitet –
30  Denn hier ist keine Heimat – Jeder treibt
Sich an dem andern rasch und fremd vorüber,
Und fraget nicht nach seinem Schmerz – Hier geht
Der sorgenvolle Kaufmann und der leicht

Geschürzte Pilger – der andächt'ge Mönch,
Der düstre Räuber und der heitre Spielmann,
Der Säumer mit dem schwer beladnen Ross,
Der ferne herkommt von der Menschen Ländern,
Denn jede Straße führt ans End der Welt.
Sie alle ziehen ihres Weges fort
An ihr Geschäft – und *meines* ist der Mord!

*(Setzt sich.)*

Sonst wenn der Vater auszog, liebe Kinder,
Da war ein Freuen, wenn er wiederkam,
Denn niemals kehrt' er heim, er bracht euch etwas,
War's eine schöne Alpenblume, war's
Ein seltner Vogel oder Ammonshorn,
Wie es der Wandrer findet auf den Bergen –
Jetzt geht er einem andern Weidwerk nach,
Am wilden Weg sitzt er mit Mordgedanken,
Des Feindes Leben ist's, worauf er lauert.
– Und doch an *euch* nur denkt er, lieben Kinder,
Auch jetzt – euch zu verteid'gen, eure holde Unschuld
Zu schützen vor der Rache des Tyrannen,
Will er zum Morde jetzt den Bogen spannen!

*(Steht auf.)*

Ich laure auf ein edles Wild – Lässt sich's
Der Jäger nicht verdrießen, tagelang
Umherzustreifen in des Winters Strenge,
Von Fels zu Fels den Wagesprung zu tun,
Hinanzuklimmen an den glatten Wänden,
Wo er sich anleimt mit dem eignen Blut,
– Um ein armselig Grattier zu erjagen.
Hier gilt es einen köstlicheren Preis,
Das Herz des Todfeinds, der mich will verderben.

29 **ein Grattier** eine Gemse

**171**

*(Man hört von ferne eine heitre Musik, welche sich nähert.)*

Mein ganzes Leben lang hab ich den Bogen
Gehandhabt, mich geübt nach Schützenregel,

5   Ich habe oft geschossen in das Schwarze
Und manchen schönen Preis mir heimgebracht
Vom Freudenschießen – Aber heute will ich
Den *Meisterschuss* tun und das Beste mir
Im ganzen Umkreis des Gebirgs gewinnen.

10   *Eine Hochzeit zieht über die Szene und durch den Hohlweg hinauf. Tell betrachtet sie, auf seinen Bogen gelehnt, Stüssi der Flurschütz gesellt sich zu ihm.*

STÜSSI: Das ist der Klostermei'r von Mörlischachen,
Der hier den Brautlauf hält – Ein reicher Mann,

15   Er hat wohl zehen Senten auf den Alpen.
Die Braut holt er jetzt ab zu Imisee,
Und diese Nacht wird hoch geschwelgt zu Küßnacht.
Kommt mit! 's ist jeder Biedermann geladen.

TELL: Ein ernster Gast stimmt nicht zum Hochzeithaus.

20   STÜSSI:
Drückt Euch ein Kummer, werft ihn frisch vom Herzen,
Nehmt mit, was kommt, die Zeiten sind jetzt schwer.
Drum muss der Mensch die Freude leicht ergreifen.
Hier wird gefreit und anderswo begraben.

25   TELL: Und oft kommt gar das eine zu dem andern.

STÜSSI: So geht die Welt nun. Es gibt allerwegen
Unglücks genug – Ein Ruffi ist gegangen
Im Glarner Land und eine ganze Seite
Vom Glärnisch eingesunken.

---

15 **Senten** von Hirten (Sennen) betreute Kuhherden – 27 **Ruffi** Erdrutsch

TELL: Wanken auch
Die Berge selbst? Es steht nichts fest auf Erden.

STÜSSI: Auch anderswo vernimmt man Wunderdinge.
Da sprach ich einen, der von Baden kam.
Ein Ritter wollte zu dem König reiten,
Und unterwegs begegnet ihm ein Schwarm
Von Hornissen, die fallen auf sein Ross,
Dass es für Marter tot zu Boden sinkt,
Und er zu Fuße ankommt bei dem König.

TELL: Dem Schwachen ist sein Stachel auch gegeben.

*Armgard kommt mit mehreren Kindern und stellt sich
an den Eingang des Hohlwegs.*

STÜSSI: Man deutet's auf ein großes Landesunglück,
Auf schwere Taten wider die Natur.

TELL: Dergleichen Taten bringet jeder Tag,
Kein Wunderzeichen braucht sie zu verkünden.

STÜSSI: Ja, wohl dem, der sein Feld bestellt in Ruh
Und ungekränkt daheim sitzt bei den Seinen.

TELL: Es kann der Frömmste nicht in Frieden bleiben,
Wenn es dem bösen Nachbar nicht gefällt.

*(Tell sieht oft mit unruhiger Erwartung nach der Höhe
des Weges.)*

STÜSSI: Gehabt Euch wohl – Ihr wartet hier auf jemand?

TELL: Das tu ich.

STÜSSI: Frohe Heimkehr zu den Euren!
– Ihr seid aus Uri? Unser gnäd'ger Herr
Der Landvogt wird noch heut von dort erwartet.

8 **für Marter** vor Schmerz

**173**

WANDERER *(kommt)*:
Den Vogt erwartet heut nicht mehr. Die Wasser
Sind ausgetreten von dem großen Regen,
Und alle Brücken hat der Strom zerrissen.

5 *(Tell steht auf.)*

ARMGARD *(kommt vorwärts)*: Der Landvogt kommt nicht!

STÜSSI: Sucht Ihr was an ihn?

ARMGARD: Ach freilich!

STÜSSI: Warum stellet Ihr Euch denn
10 In dieser hohlen Gass' ihm in den Weg?

ARMGARD:
Hier weicht er mir nicht aus, er muss mich hören.

FRIESSHARDT *(kommt eilfertig den Hohlweg herab und
ruft in die Szene)*:
15 Man fahre aus dem Weg – Mein gnäd'ger Herr
Der Landvogt kommt dicht hinter mir geritten.

*(Tell geht ab.)*

ARMGARD *(lebhaft)*: Der Landvogt kommt!

*(Sie geht mit ihren Kindern nach der vordern Szene.)*
20 *Gessler und Rudolf der Harras zeigen sich zu Pferd auf
der Höhe des Wegs.*

STÜSSI *(zum Frießhardt)*: Wie kamt ihr durch das Wasser,
Da doch der Strom die Brücken fortgeführt?

FRIESSHARDT: Wir haben mit dem See gefochten, Freund,
25 Und fürchten uns vor keinem Alpenwasser.

STÜSSI: Ihr wart zu Schiff in dem gewalt'gen Sturm?

FRIESSHARDT: Das waren wir. Mein Lebtag denk ich dran –

STÜSSI: O bleibt, erzählt!

FRIESSHARDT: Lasst mich, ich muss voraus,
Den Landvogt muss ich in der Burg verkünden.

5 *(Ab.)*

STÜSSI: Wär'n gute Leute auf dem Schiff gewesen,
In Grund gesunken wär's mit Mann und Maus,
*Dem* Volk kann weder Wasser bei noch Feuer.

*(Er sieht sich um.)*

10 Wo kam der Weidmann hin, mit dem ich sprach?

*(Geht ab.)*

*Gessler und Rudolf der Harras zu Pferd.*

GESSLER: Sagt, was Ihr wollt, ich bin des Kaisers Diener
Und muss drauf denken, wie ich ihm gefalle.
15 Er hat mich nicht ins Land geschickt, dem Volk
Zu schmeicheln und ihm sanft zu tun – Gehorsam
Erwartet er, der Streit ist, ob der Bauer
Soll Herr sein in dem Lande oder der Kaiser.

ARMGARD: Jetzt ist der Augenblick! Jetzt bring ich's an!

20 *(Nähert sich furchtsam.)*

GESSLER: Ich hab den Hut nicht aufgesteckt zu Altdorf
Des Scherzes wegen, oder um die Herzen
Des Volks zu prüfen, diese kenn ich längst.
Ich hab ihn aufgesteckt, dass sie den Nacken
25 Mir lernen beugen, den sie aufrecht tragen –

Das *Unbequeme* hab ich hingepflanzt
Auf ihren Weg, wo sie vorbeigehn müssen,
Dass sie drauf stoßen mit dem Aug, und sich
Erinnern ihres Herrn, den sie vergessen.

5 RUDOLF DER HARRAS:
Das Volk hat aber doch gewisse Rechte –

GESSLER: Die abzuwägen, ist jetzt keine Zeit!
– Weitschicht'ge Dinge sind im Werk und Werden,
Das Kaiserhaus will wachsen, was der Vater
10 Glorreich begonnen, will der Sohn vollenden.
Dies kleine Volk ist uns ein Stein im Weg –
So oder so – es muss sich unterwerfen.

*(Sie wollen vorüber. Die Frau wirft sich vor dem
Landvogt nieder.)*

15 ARMGARD:
Barmherzigkeit, Herr Landvogt! Gnade! Gnade!

GESSLER: Was dringt Ihr Euch auf offner Straße mir
In Weg – Zurück!

ARMGARD: Mein Mann liegt im Gefängnis,
20 Die armen Waisen schrein nach Brot – Habt Mitleid,
Gestrenger Herr, mit unserm großen Elend.

RUDOLF DER HARRAS: Wer seid Ihr? Wer ist Euer Mann?

ARMGARD: Ein armer
Wildheuer, guter Herr, vom Rigiberge,
25 Der überm Abgrund weg das freie Gras
Abmähet von den schroffen Felsenwänden,
Wohin das Vieh sich nicht getraut zu steigen –

9 **der Vater** Rudolf I. von Habsburg, von 1273 bis 1291 dt. König – 10 **der Sohn** Albrecht I. von Habsburg, von 1282 Herzog von Österreich, von 1298 bis 1308 dt. König – 24 **Wildheuer** ein Bergbewohner ohne Landbesitz; er ernährt seine Familie durch Viehhaltung. Das Viehfutter holt er von kaum zugänglichem (steilem) Berggelände – 25 **frei** frei verfügbar

RUDOLF DER HARRAS *(zum Landvogt)*:
Bei Gott, ein elend und erbärmlich Leben!
Ich bitt Euch, gebt ihn los, den armen Mann,
Was er auch Schweres mag verschuldet haben,
Strafe genug ist sein entsetzlich Handwerk.

*(Zu der Frau.)*

Euch soll Recht werden – Drinnen auf der Burg
Nennt Eure Bitte – Hier ist nicht der Ort.

ARMGARD: Nein, nein, ich weiche nicht von diesem Platz,
Bis mir der Vogt den Mann zurückgegeben!
Schon in den sechsten Mond liegt er im Turm
Und harret auf den Richterspruch vergebens.

GESSLER: Weib, wollt Ihr mir Gewalt antun, hinweg.

ARMGARD: Gerechtigkeit, Landvogt! Du bist der Richter
Im Lande an des Kaisers Statt und Gottes.
Tu deine Pflicht! So du Gerechtigkeit
Vom Himmel hoffest, so erzeig sie uns.

GESSLER: Fort, schafft das freche Volk mir aus den Augen.

ARMGARD *(greift in die Zügel des Pferdes)*:
Nein, nein, ich habe nichts mehr zu verlieren.
– Du kommst nicht von der Stelle, Vogt, bis du
Mir Recht gesprochen – Falte deine Stirne,
Rolle die Augen, wie du willst – Wir sind
So grenzenlos unglücklich, dass wir nichts
Nach deinem Zorn mehr fragen –

GESSLER: Weib, mach Platz,
Oder mein Ross geht über dich hinweg.

ARMGARD: Lass es über mich dahingehn – Da –

*(Sie reißt ihre Kinder zu Boden und wirft sich mit ihnen ihm in den Weg.)*

Hier lieg ich

5    Mit meinen Kindern – Lass die armen Waisen
Von deines Pferdes Huf zertreten werden,
Es ist das Ärgste nicht, was du getan –

RUDOLF DER HARRAS: Weib, seid Ihr rasend?

ARMGARD *(heftiger fortfahrend)*: Tratest du doch längst

10    Das Land des Kaisers unter deine Füße!
– O ich bin nur ein Weib! Wär ich ein Mann,
Ich wüsste wohl was Besseres, als hier
Im Staub zu liegen –

*(Man hört die vorige Musik wieder auf der Höhe des Wegs,*

15    *aber gedämpft.)*

GESSLER: Wo sind meine Knechte?
Man reiße sie von hinnen, oder ich
Vergesse mich und tue, was mich reuet.

RUDOLF DER HARRAS:

20    Die Knechte können nicht hindurch, o Herr,
Der Hohlweg ist gesperrt durch eine Hochzeit.

GESSLER: Ein allzu milder Herrscher bin ich noch
Gegen dies Volk – die Zungen sind noch frei,
Es ist noch nicht ganz, wie es soll, gebändigt –

25    Doch es soll anders werden, ich gelob es,
Ich will ihn brechen diesen starren Sinn,
Den kecken Geist der Freiheit will ich beugen.

Ein neu Gesetz will ich in diesen Landen
Verkündigen – Ich will –

*(Ein Pfeil durchbohrt ihn, er fährt mit der Hand ans Herz
und will sinken. Mit matter Stimme.)*

5   Gott sei mir gnädig!

RUDOLF DER HARRAS:
Herr Landvogt – Gott was ist das? Woher kam das?

ARMGARD *(auffahrend)*:
Mord! Mord! Er taumelt, sinkt! Er ist getroffen!
10  Mitten ins Herz hat ihn der Pfeil getroffen!

RUDOLF DER HARRAS *(springt vom Pferde)*:
Welch grässliches Ereignis – Gott – Herr Ritter –
Ruft die Erbarmung Gottes an – Ihr seid
Ein Mann des Todes! –

15  GESSLER:  Das ist Tells Geschoss.

*(Ist vom Pferd herab dem Rudolf Harras in die Arme
gegleitet und wird auf der Bank niedergelassen.)*

TELL *(erscheint oben auf der Höhe des Felsen)*:
Du kennst den Schützen, suche keinen andern!
20  Frei sind die Hütten, sicher ist die Unschuld
Vor dir, du wirst dem Lande nicht mehr schaden.

*(Verschwindet von der Höhe. Volk stürzt herein.)*

STÜSSI *(voran)*:  Was gibt es hier? Was hat sich zugetragen?

ARMGARD:
25  Der Landvogt ist von einem Pfeil durchschossen.

4. Aufzug
3. Szene

VOLK *(im Hereinstürzen)*: Wer ist erschossen?

*(Indem die vordersten von dem Brautzug auf die Szene
kommen, sind die hintersten noch auf der Höhe, und die
Musik geht fort.)*

5 RUDOLF DER HARRAS: Er verblutet sich.
Fort, schaffet Hilfe! Setzt dem Mörder nach!
– Verlorner Mann, so muss es mit dir enden,
Doch meine Warnung wolltest du nicht hören!

STÜSSI: Bei Gott! da liegt er bleich und ohne Leben!

10 VIELE STIMMEN: Wer hat die Tat getan?

RUDOLF DER HARRAS: Rast dieses Volk,
Dass es dem Mord Musik macht? Lasst sie schweigen.

*(Musik bricht plötzlich ab, es kommt noch mehr Volk
nach.)*

15 Herr Landvogt, redet, wenn Ihr könnt – Habt Ihr
Mir nichts mehr zu vertraun?

*(Gessler gibt Zeichen mit der Hand, die er mit Heftigkeit
wiederholt, da sie nicht gleich verstanden werden.)*

Wo soll ich hin?
20 – Nach Küßnacht? – Ich versteh Euch nicht – O werdet
Nicht ungeduldig – Lasst das Irdische,
Denkt jetzt, Euch mit dem Himmel zu versöhnen.

*(Die ganze Hochzeitgesellschaft umsteht den Sterbenden
mit einem fühllosen Grausen.)*

25 STÜSSI: Sieh, wie er bleich wird – Jetzt, jetzt tritt der Tod
Ihm an das Herz – die Augen sind gebrochen.

4 **geht fort** dauert an

**180**

ARMGARD *(hebt ein Kind empor)*:
Seht, Kinder, wie ein Wüterich verscheidet!

RUDOLF DER HARRAS:
Wahnsinn'ge Weiber, habt ihr kein Gefühl,
Dass ihr den Blick an diesem Schrecknis weidet?
– Helft – Leget Hand an – Steht mir niemand bei,
Den Schmerzenspfeil ihm aus der Brust zu ziehn?

WEIBER *(treten zurück)*:
Wir ihn berühren, welchen Gott geschlagen!

RUDOLF DER HARRAS: Fluch treff euch und Verdammnis!

*(Zieht das Schwert.)*

STÜSSI *(fällt ihm in den Arm)*: Wagt es, Herr!
Eu'r Walten hat ein Ende. Der Tyrann
Des Landes ist gefallen. Wir erdulden
Keine Gewalt mehr. Wir sind freie Menschen.

ALLE *(tumultuarisch)*: Das Land ist frei.

RUDOLF DER HARRAS: Ist es dahin gekommen?
Endet die Furcht so schnell und der Gehorsam?

*(Zu den Waffenknechten, die hereindringen.)*

Ihr seht die grausenvolle Tat des Mords,
Die hier geschehen – Hülfe ist umsonst –
Vergeblich ist's, dem Mörder nachzusetzen.
Uns drängen andre Sorgen – Auf, nach Küßnacht,
Dass wir dem Kaiser seine  Festeretten!
Denn aufgelöst in diesem Augenblick
Sind aller Ordnung, aller Pflichten Bande,
Und keines Mannes Treu ist zu vertrauen.

24 **Feste** Festung

*Indem er mit den Waffenknechten abgeht, erscheinen
sechs Barmherzige Brüder.*

ARMGARD:
Platz! Platz! Da kommen die Barmherz'gen Brüder.

5 STÜSSI: Das Opfer liegt – Die Raben steigen nieder.

BARMHERZIGE BRÜDER *(schließen einen Halbkreis um den
Toten und singen in tiefem Ton)*:
Rasch tritt der Tod den Menschen an,
Es ist ihm keine Frist gegeben,
10 Es stürzt ihn mitten in der Bahn,
Es reißt ihn fort vom vollen Leben,
Bereitet oder nicht, zu gehen,
Er muss vor seinen Richter stehen!

*(Indem die letzten Zeilen wiederholt werden, fällt der
15 Vorhang.)*

# FÜNFTER
# AUFZUG

# Erste Szene

*Öffentlicher Platz bei Altdorf.*

*Im Hintergrunde rechts die Feste Zwing Uri mit dem noch stehenden Baugerüste wie in der dritten Szene des ersten Aufzugs; links eine Aussicht in viele Berge hinein, auf welchen allen Signalfeuer brennen. Es ist eben Tagesanbruch, Glocken ertönen aus verschiedenen Fernen.*

*Ruodi, Kuoni, Werni, Meister Steinmetz und viele andre Landleute, auch Weiber und Kinder.*

RUODI: Seht ihr die Feuersignale auf den Bergen?

STEINMETZ: Hört ihr die Glocken drüben überm Wald?

RUODI: Die Feinde sind verjagt.

STEINMETZ: Die Burgen sind erobert.

RUODI: Und wir im Lande Uri dulden noch
Auf unserm Boden das Tyrannenschloss?
Sind wir die letzten, die sich frei erklären?

STEINMETZ: Das *Joch* soll stehen, das uns zwingen wollte?
Auf, reißt es nieder!

ALLE: Nieder! Nieder! Nieder!

RUODI: Wo ist der Stier von Uri?

STIER VON URI: Hier. Was soll ich?

RUODI: Steigt auf die Hochwacht, blast in Euer Horn,
Dass es weitschmetternd in die Berge schalle,
Und jedes Echo in den Felsenklüften
Aufweckend, schnell die Männer des Gebirgs
Zusammenrufe.

---

17 **das Joch** Bauwerk

**184**

*Stier von Uri geht ab. Walther Fürst kommt.*

WALTHER FÜRST: Haltet, Freunde! Haltet!
Noch fehlt uns Kunde, was in Unterwalden
Und Schwyz geschehen. Lasst uns Boten erst
Erwarten.

RUODI: Was erwarten? Der Tyrann
Ist tot, der Tag der Freiheit ist erschienen.

STEINMETZ:
Ist's nicht genug an diesen flammenden Boten,
Die ringsherum auf allen Bergen leuchten?

RUODI:
Kommt alle, kommt, legt Hand an, Männer und Weiber!
Brecht das Gerüste! Sprengt die Bogen! Reißt
Die Mauern ein! Kein Stein bleib' auf dem andern.

STEINMETZ: Gesellen, kommt! Wir haben's aufgebaut,
Wir wissen's zu zerstören.

ALLE: Kommt! reißt nieder.

*(Sie stürzen sich von allen Seiten auf den Bau.)*

WALTHER FÜRST:
Es ist im Lauf. Ich kann sie nicht mehr halten.

*Melchthal und Baumgarten kommen.*

MELCHTHAL:
Was? Steht die Burg noch und Schloss Sarnen liegt
In Asche und der Roßberg ist gebrochen?

WALTHER FÜRST:
Seid Ihr es, Melchthal? Bringt Ihr uns die Freiheit?
Sagt! Sind die Lande alle rein vom Feind?

MELCHTHAL *(umarmt ihn)*:
Rein ist der Boden. Freut Euch, alter Vater!
In diesem Augenblicke, da wir reden,
Ist kein Tyrann mehr in der Schweizer Land.

5 WALTHER FÜRST:
O sprecht, wie wurdet ihr der Burgen mächtig?

MELCHTHAL: Der Rudenz war es, der das Sarner Schloss
Mit männlich kühner Wagetat gewann,
Den Roßberg hatt ich nachts zuvor erstiegen.
10 – Doch höret, was geschah. Als wir das Schloss
Vom Feind geleert, nun freudig angezündet,
Die Flamme prasselnd schon zum Himmel schlug,
Da stürzt der Diethelm, Gesslers Bub, hervor
Und ruft, dass die Bruneckerin verbrenne.

15 WALTHER FÜRST: Gerechter Gott!

*(Man hört die Balken des Gerüstes stürzen.)*

MELCHTHAL: Sie war es selbst, war heimlich
Hier eingeschlossen auf des Vogts Geheiß.
Rasend erhub sich Rudenz – denn wir hörten
20 Die Balken schon, die festen Pfosten stürzen,
Und aus dem Rauch hervor den Jammerruf
– Der Unglückseligen.

WALTHER FÜRST: Sie ist gerettet?

MELCHTHAL:
25 Da galt Geschwindsein und Entschlossenheit!
– Wär er *nur* unser Edelmann gewesen,
Wir hätten unser Leben wohl geliebt,
Doch er war unser Eidgenoss, und Bertha
Ehrte das Volk – So setzten wir getrost
30 Das Leben dran, und stürzten in das Feuer.

6 **der Burgen mächtig werden** die Burgen erobern – 13 **Gessles Bub** Gesslers Knecht

WALTHER FÜRST:  Sie ist gerettet?

MELCHTHAL:  Sie ist's. Rudenz und ich,
   Wir trugen sie selbander aus den Flammen,
   Und hinter uns fiel krachend das Gebälk.
5  – Und jetzt, als sie gerettet sich erkannte,
   Die Augen aufschlug zu dem Himmelslicht,
   Jetzt stürzte mir der Freiherr an das Herz,
   Und schweigend ward ein Bündnis jetzt beschworen,
   Das fest gehärtet in des Feuers Glut
10 Bestehen wird in allen Schicksalsproben –

WALTHER FÜRST:  Wo ist der Landenberg?

MELCHTHAL:  Über den Brünig.
   Nicht lag's an mir, dass er das Licht der Augen
   Davontrug, der den Vater mir geblendet.
15 Nach jagt ich ihm, erreicht ihn auf der Flucht
   Und riss ihn zu den Füßen meines Vaters.
   Geschwungen über ihm war schon das Schwert,
   Von der Barmherzigkeit des blinden Greises
   Erhielt er flehend das Geschenk des Lebens.
20 *Urfehde* schwur er, nie zurückzukehren,
   Er wird sie halten, unsern Arm hat er
   Gefühlt.

WALTHER FÜRST:  Wohl Euch, dass Ihr den reinen Sieg
   Mit Blute nicht geschändet!

25 KINDER *(eilen mit Trümmern des Gerüstes über die
   Szene)*:  Freiheit! Freiheit!

*(Das Horn von Uri wird mit Macht geblasen.)*

WALTHER FÜRST:
   Seht, welch ein Fest! Des Tages werden sich
30 Die Kinder spät als Greise noch erinnern.

---

3 **selbander** zu zweit

*(Mädchen bringen den Hut auf einer Stange getragen, die ganze Szene füllt sich mit Volk an.)*

RUODI: Hier ist der Hut, dem wir uns beugen mussten.

BAUMGARTEN: Gebt uns Bescheid, was damit werden soll.

5 WALTHER FÜRST:
Gott! Unter diesem Hute stand mein Enkel!

MEHRERE STIMMEN:
Zerstört das Denkmal der Tyrannenmacht!
Ins Feuer mit ihm!

10 WALTHER FÜRST: Nein, lasst ihn aufbewahren!
Der Tyrannei musst er zum Werkzeug dienen,
Er soll der Freiheit ewig Zeichen sein!

*(Die Landleute, Männer, Weiber und Kinder stehen und sitzen auf den Balken des zerbrochenen Gerüstes*
15 *malerisch gruppiert in einem großen Halbkreis umher.)*

MELCHTHAL:
So stehen wir nun fröhlich auf den Trümmern
Der Tyrannei, und herrlich ist's erfüllt,
Was wir im Rütli schwuren, Eidgenossen.

20 WALTHER FÜRST:
Das Werk ist angefangen, nicht vollendet.
Jetzt ist uns Mut und feste Eintracht not,
Denn seid gewiss, nicht säumen wird der König,
Den Tod zu rächen seines Vogts, und den
25 Vertriebnen mit Gewalt zurückzuführen.

MELCHTHAL: Er zieh' heran mit seiner Heeresmacht,
Ist aus dem Innern doch der Feind verjagt,
Dem Feind von außen wollen wir begegnen.

RUODI:  Nur wen'ge Pässe öffnen ihm das Land,
Die wollen wir mit unsern Leibern decken.

BAUMGARTEN:  Wir sind vereinigt durch ein ewig Band,
Und seine Heere sollen uns nicht schrecken!

5   *Rösselmann und Stauffacher kommen.*

RÖSSELMANN *(im Eintreten)*:
Das sind des Himmels furchtbare Gerichte.

LANDLEUTE:  Was gibt's?

RÖSSELMANN:  In welchen Zeiten leben wir!

10  WALTHER FÜRST:
Sagt an, was ist es? – Ha, seid Ihr's, Herr Werner?
Was bringt Ihr uns?

LANDLEUTE:  Was gibt's?

RÖSSELMANN:  Hört und erstaunet!

15  STAUFFACHER:  Von einer großen Furcht sind wir befreit –

RÖSSELMANN:  Der Kaiser ist ermordet.

WALTHER FÜRST:  Gnäd'ger Gott!

*(Landleute machen einen Aufstand und umdrängen den
Stauffacher.)*

20  ALLE:  Ermordet! Was! Der Kaiser! Hört! Der Kaiser!

MELCHTHAL:
Nicht möglich! Woher kam Euch diese Kunde?

STAUFFACHER:  Es ist gewiss. Bei Bruck fiel König Albrecht
Durch Mörders Hand – ein glaubenswerter Mann,
25  *Johannes Müller*, bracht es von Schaffhausen.

WALTHER FÜRST: Wer wagte solche grauenvolle Tat?

STAUFFACHER:
Sie wird noch grauenvoller durch den Täter.
Es war sein Neffe, seines Bruders Kind,
5  Herzog Johann von Schwaben, der's vollbrachte.

MELCHTHAL: Was trieb ihn zu der Tat des Vatermords?

STAUFFACHER: Der Kaiser hielt das väterliche Erbe
Dem ungeduldig Mahnenden zurück,
Es hieß, er denk' ihn ganz darum zu kürzen,
10  Mit einem Bischofshut ihn abzufinden.
Wie dem auch sei – der Jüngling öffnete
Der Waffenfreunde bösem Rat sein Ohr,
Und mit den edeln *Herrn* von *Eschenbach*,
Von *Tegerfelden*, von der *Wart* und *Palm*
15  Beschloss er, da er Recht nicht konnte finden,
Sich Rach' zu holen mit der eignen Hand.

WALTHER FÜRST:
O sprecht, wie ward das Grässliche vollendet?

STAUFFACHER: Der König ritt herab vom Stein zu Baden,
20  Gen Rheinfeld, wo die Hofstatt war, zu ziehn,
Mit ihm die Fürsten, *Hans* und *Leopold*,
Und ein Gefolge hochgeborner Herren.
Und als sie kamen an die *Reuß*, wo man
Auf einer Fähre sich lässt übersetzen,
25  Da drängten sich die Mörder in das Schiff,
Dass sie den Kaiser vom Gefolge trennten.
Drauf, als der Fürst durch ein geackert Feld
Hinreitet – eine alte große Stadt
Soll drunter liegen aus der Heiden Zeit –
30  Die alte Feste Habsburg im Gesicht,
Wo seines Stammes Hoheit ausgegangen –

---

6 **Vatermord** *hier:* Mord am Vormund – 19 **vom Stein** von der Burg Stein – 30 **Feste Habsburg**
der Stammsitz der Habsburger

Stößt Herzog Hans den Dolch ihm in die Kehle,
Rudolf von Palm durchrennt ihn mit dem Speer,
Und Eschenbach zerspaltet ihm das Haupt,
Dass er heruntersinkt in seinem Blut,
5   Gemordet von den Seinen, *auf* dem Seinen.
Am andern Ufer sahen sie die Tat,
Doch durch den Strom geschieden, konnten sie
Nur ein ohnmächtig Wehgeschrei erheben;
Am Wege aber saß ein armes Weib,
10  In ihrem Schoss verblutete der Kaiser.

MELCHTHAL:  So hat er nur sein frühes Grab gegraben,
Der unersättlich alles wollte haben!

STAUFFACHER:
Ein ungeheurer Schrecken ist im Land umher,
15  Gesperrt sind alle Pässe des Gebirgs,
Jedweder Stand verwahret seine Grenzen,
Die alte Zürich selbst schloss ihre Tore,
Die dreißig Jahr lang offen standen, zu,
Die Mörder fürchtend und noch mehr – die Rächer.
20  Denn mit des Bannes Fluch bewaffnet, kommt
Der Ungarn Königin, die strenge Agnes,
Die nicht die Milde kennet ihres zarten
Geschlechts, des Vaters königliches Blut
Zu rächen an der Mörder ganzem Stamm,
25  An ihren Knechten, Kindern, Kindeskindern,
Ja an den Steinen ihrer Schlösser selbst.
Geschworen hat sie, ganze Zeugungen
Hinabzusenden in des Vaters Grab,
In Blut sich wie in Maientau zu baden.

30  MELCHTHAL:
Weiß man, wo sich die Mörder hingeflüchtet?

---

21 **die strenge Agnes** Tochter (Lebensdaten: 1280–1364) von König Albrecht I. – 27 **ganze Zeugungen** ganze Geschlechter; Generationen

STAUFFACHER: Sie flohen alsbald nach vollbrachter Tat
Auf fünf verschiednen Straßen auseinander
Und trennten sich, um nie sich mehr zu sehn –
Herzog Johann soll irren im Gebirge.

5 WALTHER FÜRST: So trägt die Untat ihnen keine Frucht!
Rache trägt keine Frucht! Sich selbst ist sie
Die fürchterliche Nahrung, ihr Genuss
Ist Mord, und ihre Sättigung das Grausen.

STAUFFACHER:
10 Den Mördern bringt die Untat nicht Gewinn,
*Wir* aber brechen mit der reinen Hand
Des blut'gen Frevels segenvolle Frucht.
Denn einer großen Furcht sind wir entledigt,
Gefallen ist der Freiheit größter Feind,
15 Und wie verlautet, wird das Szepter gehn
Aus Habsburgs Haus zu einem andern Stamm,
Das Reich will seine Wahlfreiheit behaupten.

WALTHER FÜRST UND MEHRERE: Vernahmt Ihr was?

STAUFFACHER: Der Graf von Luxemburg
20 Ist von den mehrsten Stimmen schon bezeichnet.

WALTHER FÜRST:
Wohl uns, dass wir beim Reiche treu gehalten,
Jetzt ist zu hoffen auf Gerechtigkeit!

STAUFFACHER: Dem neuen Herrn tun tapfre Freunde not,
25 Er wird uns schirmen gegen Östreichs Rache.

*(Die Landleute umarmen einander.)*

*Sigrist mit einem Reichsboten.*

SIGRIST: Hier sind des Landes würd'ge Oberhäupter.

RÖSSELMANN UND MEHRERE: Sigrist, was gibt's?

SIGRIST: Ein Reichsbot' bringt dies Schreiben.

ALLE *(zu Walther Fürst)*: Erbrecht und leset.

WALTHER FÜRST *(liest)*: »Den bescheidnen Männern
Von Uri, Schwyz und Unterwalden bietet
Die Königin Elsbeth Gnad' und alles Gutes.«

VIELE STIMMEN: Was will die Königin? Ihr Reich ist aus.

WALTHER FÜRST *(liest)*:
»In ihrem großen Schmerz und Witwenleid,
Worein der blut'ge Hinscheid ihres Herrn
Die Königin versetzt, gedenkt sie noch
Der alten Treu und Lieb' der Schwyzerlande.«

MELCHTHAL: In ihrem Glück hat sie das nie getan.

RÖSSELMANN: Still! Lasset hören!

WALTHER FÜRST *(liest)*:
»Und sie versieht sich zu dem treuen Volk,
Dass es gerechten Abscheu werde tragen
Vor den verfluchten Tätern dieser Tat.
Darum erwartet sie von den drei Landen,
Dass sie den Mördern nimmer Vorschub tun,
Vielmehr getreulich dazu helfen werden,
Sie auszuliefern in des Rächers Hand,
Der Lieb gedenkend und der alten Gunst,
Die sie von Rudolfs Fürstenhaus empfangen.«

*(Zeichen des Unwillens unter den Landleuten.)*

VIELE STIMMEN: Der Lieb und Gunst!

---

4 **bescheiden** Bescheid wissen; kenntnisreich – 6 **Königin Elsbeth** Witwe (Lebensdaten: 1262–1313) von König Albrecht I. – 16 **sie versieht sich zu** sie erwartet von

STAUFFACHER:

Wir haben Gunst empfangen von dem Vater,
Doch wessen rühmen wir uns von dem Sohn?
Hat er den Brief der Freiheit uns bestätigt,
Wie *vor* ihm alle Kaiser doch getan?
Hat er gerichtet nach gerechtem Spruch,
Und der bedrängten Unschuld Schutz verliehn?
Hat er auch nur die Boten wollen hören,
Die wir in unsrer Angst zu ihm gesendet?
Nicht eins von diesem allen hat der König
An uns getan, und hätten wir nicht selbst
Uns Recht verschafft mit eigner mut'ger Hand,
Ihn rührte unsre Not nicht an – Ihm Dank?
Nicht Dank hat er gesät in diesen Tälern.
Er stand auf einem hohen Platz, er konnte
Ein Vater seiner Völker sein, doch ihm
Gefiel es, nur zu sorgen für die Seinen,
Die er gemehrt hat, mögen um ihn weinen!

WALTHER FÜRST:  Wir wollen nicht frohlocken seines Falls,
Nicht des empfangnen Bösen *jetzt* gedenken,
Fern sei's von uns! Doch, dass wir *rächen* sollten
Des Königs Tod, der nie uns Gutes tat,
Und die verfolgen, die uns nie betrübten,
Das ziemt uns nicht und will uns nicht gebühren,
Die Liebe will ein freies Opfer sein,
Der Tod entbindet von erzwungnen Pflichten,
– Ihm haben wir nichts weiter zu entrichten.

MELCHTHAL:  Und weint die Königin in ihrer Kammer,
Und klagt ihr wilder Schmerz den Himmel an,
So seht ihr hier ein angstbefreites Volk
Zu eben diesem Himmel dankend flehen –
Wer Tränen ernten will, muss Liebe säen.

*(Reichsbote geht ab.)*

STAUFFACHER *(zu dem Volk)*:
Wo ist der Tell? Soll *er* allein uns fehlen,
Der unsrer Freiheit Stifter ist? Das Größte
Hat er getan, das Härteste erduldet.
Kommt alle, kommt, nach seinem Haus zu wallen,
Und rufet Heil dem Retter von uns allen.

*(Alle gehen ab.)*

5 **wallen** sich hinbewegen

# Zweite Szene

*Tells Hausflur. Ein Feuer brennt auf dem Herd. Die offenstehende Türe zeigt ins Freie.*

*Hedwig. Walther und Wilhelm.*

5 HEDWIG: Heut kommt der Vater. Kinder, liebe Kinder!
Er lebt, ist frei, und wir sind frei und alles!
Und euer Vater ist's, der's Land gerettet.

WALTHER: Und ich bin auch dabei gewesen, Mutter!
Mich muss man auch mit nennen. Vaters Pfeil
10 Ging mir am Leben hart vorbei, und ich
Hab nicht gezittert.

HEDWIG *(umarmt ihn)*: Ja, du bist mir wieder
Gegeben! Zweimal hab ich dich geboren!
Zweimal litt ich den Mutterschmerz um dich!
15 Es ist vorbei – Ich hab euch beide, beide!
Und heute kommt der liebe Vater wieder!

*Ein Mönch erscheint an der Haustüre.*

WILHELM:
Sieh, Mutter, sieh – dort steht ein frommer Bruder,
20 Gewiss wird er um eine Gabe flehn.

HEDWIG: Führ ihn herein, damit wir ihn erquicken,
Er fühlt's, dass er ins Freudenhaus gekommen.

*(Geht hinein und kommt bald mit einem Becher wieder.)*

WILHELM *(zum Mönch)*:
25 Kommt, guter Mann. Die Mutter will Euch laben.

WALTHER:
Kommt, ruht Euch aus und geht gestärkt von dannen.

MÖNCH *(scheu umherblickend, mit zerstörten Zügen)*:
Wo bin ich? Saget an, in welchem Lande?

5 WALTHER: Seid Ihr verirret, dass Ihr das nicht wisst?
Ihr seid zu Bürglen, Herr, im Lande Uri,
Wo man hineingeht in das Schächental.

MÖNCH *(zur Hedwig, welche zurückkommt)*:
Seid Ihr allein? Ist Euer Herr zu Hause?

10 HEDWIG: Ich erwart ihn eben – doch was ist Euch, Mann?
Ihr seht nicht aus, als ob Ihr Gutes brächtet.
– Wer Ihr auch seid, Ihr seid bedürftig, nehmt!

*(Reicht ihm den Becher.)*

MÖNCH:
15 Wie auch mein lechzend Herz nach Labung schmachtet,
Nichts rühr ich an, bis Ihr mir zugesagt –

HEDWIG: Berührt mein Kleid nicht, tretet mir nicht nah,
Bleibt ferne stehn, wenn ich Euch hören soll.

MÖNCH: Bei diesem Feuer, das hier gastlich lodert,
20 Bei Eurer Kinder teurem Haupt, das ich
Umfasse –

*(Er greift die Knaben.)*

HEDWIG: Mann, was sinnet Ihr? Zurück
Von meinen Kindern! – Ihr seid kein Mönch! Ihr seid
25 Es nicht! Der Friede wohnt in diesem Kleide,
In Euren Zügen wohnt der Friede nicht.

MÖNCH: Ich bin der unglückseligste der Menschen.

HEDWIG: Das Unglück spricht gewaltig zu dem Herzen,
Doch Euer Blick schnürt mir das Innre zu.

WALTHER *(aufspringend)*: Mutter, der Vater!

*(Eilt hinaus.)*

5 HEDWIG: O mein Gott!

*(Will nach, zittert und hält sich an.)*

WILHELM *(eilt nach)*: Der Vater!

WALTHER *(draußen)*: Da bist du wieder!

WILHELM *(draußen)*: Vater, lieber Vater!

10 TELL *(draußen)*: Da bin ich wieder – Wo ist eure Mutter?

*(Treten herein.)*

WALTHER: Da steht sie an der Tür und kann nicht weiter,
So zittert sie vor Schrecken und vor Freude.

TELL: O Hedwig, Hedwig! Mutter meiner Kinder!
15   Gott hat geholfen – Uns trennt kein Tyrann mehr.

HEDWIG *(an seinem Halse)*:
O Tell! Tell! Welche Angst litt ich um dich!

*(Mönch wird aufmerksam.)*

TELL: Vergiss sie jetzt und lebe nur der Freude!
20   Da bin ich wieder! Das ist meine Hütte!
Ich stehe wieder auf dem Meinigen!

WILHELM: Wo aber hast du deine Armbrust, Vater?
Ich seh sie nicht.

TELL:  Du wirst sie nie mehr sehn.
   An heil'ger Stätte ist sie aufbewahrt,
   Sie wird hinfort zu keiner Jagd mehr dienen.

HEDWIG:  O Tell! Tell!

*(Tritt zurück, lässt seine Hand los.)*

TELL:  Was erschreckt dich, liebes Weib?

HEDWIG:  Wie – *wie* kommst du mir wieder? – Diese Hand
   – Darf ich sie fassen? – Diese Hand – O Gott!

TELL *(herzlich und mutig)*:
   Hat euch verteidigt und das Land gerettet,
   Ich darf sie frei hinauf zum Himmel heben.

*(Mönch macht eine rasche Bewegung, er erblickt ihn.)*

Wer ist der Bruder hier?

HEDWIG:  Ach, ich vergaß ihn!
   Sprich du mit ihm, mir graut in seiner Nähe.

MÖNCH *(tritt näher)*:
   Seid Ihr der Tell, durch den der Landvogt fiel?

TELL:  Der bin ich, ich verberg es keinem Menschen.

MÖNCH:  Ihr seid der Tell! Ach, es ist Gottes Hand,
   Die unter Euer Dach mich hat geführt.

TELL *(misst ihn mit den Augen)*:
   Ihr seid kein Mönch! Wer seid Ihr?

MÖNCH:  Ihr erschlugt
   Den Landvogt, der Euch Böses tat – Auch ich
   Hab einen Feind erschlagen, der mir Recht
   Versagte – Er war Euer Feind wie meiner –
   Ich hab das Land von ihm befreit.

TELL *(zurückfahrend)*: Ihr seid –
Entsetzen! – Kinder! Kinder geht hinein.
Geh, liebes Weib! Geh! Geh! – Unglücklicher,
Ihr wäret –

5   HEDWIG: Gott, wer ist es?

TELL: Frage nicht!
Fort! Fort! Die Kinder dürfen es nicht hören.
Geh aus dem Hause – Weit hinweg – Du darfst
Nicht unter einem Dach mit diesem wohnen.

10   HEDWIG: Weh mir, was ist das? Kommt!

*(Geht mit den Kindern.)*

TELL *(zu dem Mönch)*: Ihr seid der Herzog
Von Österreich – Ihr seid's! Ihr habt den Kaiser
Erschlagen, Euern Oh'm und Herrn.

15   JOHANNES PARRICIDA: Er war
Der Räuber meines Erbes.

TELL: Euern Oh'm
Erschlagen, Euern Kaiser! Und Euch trägt
Die Erde noch! Euch leuchtet noch die Sonne!

20   PARRICIDA: Tell, hört mich, eh Ihr –

TELL: Von dem Blute triefend
Des Vatermordes und des Kaisermords,
Wagst du zu treten in mein reines Haus,
Du wagst's, dein Antlitz einem guten Menschen
25   Zu zeigen und das Gastrecht zu begehren?

PARRICIDA: Bei Euch hofft ich Barmherzigkeit zu finden,
Auch Ihr nahmt Rach' an Euerm Feind.

TELL: Unglücklicher!
Darfst du der Ehrsucht blut'ge Schuld vermengen
Mit der gerechten Notwehr eines Vaters?
Hast du der Kinder liebes Haupt verteidigt?
5  Des Herdes Heiligtum beschützt? das Schrecklichste,
Das Letzte von den Deinen abgewehrt?
– Zum Himmel heb ich meine reinen Hände,
Verfluche dich und deine Tat – Gerächt
Hab ich die heilige Natur, die *du*
10  Geschändet – Nichts teil ich mit dir – Gemordet
Hast *du, ich* hab mein Teuerstes verteidigt.

PARRICIDA:
Ihr stoßt mich von Euch, trostlos, in Verzweiflung?

TELL: Mich fasst ein Grausen, da ich mit dir rede.
15  Fort! Wandle deine fürchterliche Straße,
Lass rein die Hütte, wo die Unschuld wohnt.

PARRICIDA *(wendet sich zu gehen)*:
So *kann* ich, und so *will* ich nicht mehr leben!

TELL:
20  Und doch erbarmt mich deiner – Gott des Himmels!
So jung, von solchem adeligen Stamm,
Der Enkel Rudolfs, meines Herrn und Kaisers,
Als Mörder flüchtig, hier an meiner Schwelle,
Des armen Mannes, flehend und verzweifelnd –

25  *(Verhüllt sich das Gesicht.)*

PARRICIDA:
O, wenn Ihr weinen könnt, lasst mein Geschick
Euch jammern, es ist fürchterlich – Ich bin
Ein Fürst – ich *war's* – ich konnte glücklich werden,
30  Wenn ich der Wünsche Ungeduld bezwang.
Der Neid zernagte mir das Herz – Ich sah
Die Jugend meines Vetters Leopold

Gekrönt mit Ehre und mit Land belohnt,
Und mich, der gleiches Alters mit ihm war,
In sklavischer Unmündigkeit gehalten –

TELL: Unglücklicher, wohl kannte dich dein Ohm,
5   Da er dir Land und Leute weigerte!
Du selbst mit rascher, wilder Wahnsinnstat
Rechtfertigst furchtbar seinen weisen Schluss.
– Wo sind die blut'gen Helfer deines Mords?

PARRICIDA: Wohin die Rachegeister sie geführt,
10   Ich sah sie seit der Unglückstat nicht wieder.

TELL: Weißt du, dass dich die Acht verfolgt, dass du
Dem Freund verboten und dem Feind erlaubt?

PARRICIDA: Darum vermeid ich alle offne Straßen,
An keine Hütte wag ich anzupochen –
15   Der Wüste kehr ich meine Schritte zu,
Mein eignes Schrecknis, irr ich durch die Berge,
Und fahre schaudernd vor mir selbst zurück,
Zeigt mir ein Bach mein unglückselig Bild.
O wenn Ihr Mitleid fühlt und Menschlichkeit –

20   *(Fällt vor ihm nieder.)*

TELL *(abgewendet)*: Steht auf! Steht auf!

PARRICIDA: Nicht, bis Ihr mir die Hand gereicht zur Hülfe.

TELL:
  Kann ich Euch helfen? Kann's ein Mensch der Sünde?
25   Doch stehet auf – Was Ihr auch Grässliches
Verübt – Ihr seid ein Mensch – Ich bin es auch –
Vom Tell soll keiner ungetröstet scheiden –
Was ich vermag, das will ich tun.

---

11 **die Acht** Ausschluss vom Rechtsschutz; Verdammnis – 24 **ein Mensch der Sünde** ein
Mensch, der wie jeder andere mit der Erbsünde belastet ist

PARRICIDA *(aufspringend und seine Hand mit Heftigkeit ergreifend):* O Tell!
Ihr rettet meine Seele von Verzweiflung.

TELL: Lasst meine Hand los – Ihr müsst fort. Hier könnt
5    Ihr unentdeckt nicht bleiben, könnt entdeckt
Auf Schutz nicht rechnen – Wo gedenkt Ihr hin?
Wo hofft Ihr Ruh zu finden?

PARRICIDA: Weiß ich's? Ach!

TELL: Hört, was mir Gott ins Herz gibt – Ihr müsst fort
10    Ins Land Italien, nach Sankt Peters Stadt,
Dort werft Ihr Euch dem Papst zu Füßen, beichtet
Ihm Eure Schuld und löset Eure Seele.

PARRICIDA: Wird er mich nicht dem Rächer überliefern?

TELL: Was er Euch tut, das nehmet an von Gott.

15  PARRICIDA: Wie komm ich in das unbekannte Land?
Ich bin des Wegs nicht kundig, wage nicht
Zu Wanderern die Schritte zu gesellen.

TELL: Den Weg will ich Euch nennen, merket wohl!
Ihr steigt hinauf, dem Strom der *Reuß* entgegen,
20    Die wildes Laufes von dem Berge stürzt –

PARRICIDA *(erschrickt):*
Seh ich die Reuß? Sie floss bei meiner Tat.

TELL: Am Abgrund geht der Weg, und viele *Kreuze*
Bezeichnen ihn, errichtet zum Gedächtnis
25    Der Wanderer, die die Lawin begraben.

PARRICIDA: Ich fürchte nicht die Schrecken der Natur,
Wenn ich des Herzens wilde Qualen zähme.

TELL: Vor jedem Kreuze fallet hin und büßet
Mit heißen Reuetränen Eure Schuld –
Und seid Ihr glücklich durch die Schreckensstraße,
Sendet der Berg nicht seine Windeswehen,
5    Auf Euch herab von dem beeisten Joch,
So kommt Ihr auf die *Brücke*, welche *stäubet*.
Wenn sie nicht einbricht unter Eurer Schuld,
Wenn Ihr sie glücklich hinter Euch gelassen,
So reißt ein schwarzes *Felsentor* sich auf,
10   Kein Tag hat's noch erhellt – da geht Ihr durch,
Es führt Euch in ein heitres *Tal* der Freude –
Doch schnellen Schritts müsst Ihr vorübereilen,
Ihr dürft nicht weilen, wo die Ruhe wohnt.

PARRICIDA: O Rudolf! Rudolf! Königlicher Ahn!
15   So zieht dein Enkel ein auf deines Reiches Boden!

TELL: So immer steigend, kommt Ihr auf die Höhen
Des *Gotthards*, wo die ew'gen *Seen* sind,
Die von des Himmels Strömen selbst sich füllen.
Dort nehmt Ihr Abschied von der deutschen Erde,
20   Und muntern Laufs führt Euch ein andrer Strom
Ins Land Italien hinab, Euch das gelobte –

*(Man hört den Kuhreihen von vielen Alphörnern
geblasen.)*

Ich höre Stimmen. Fort!

25   HEDWIG *(eilt herein)*: Wo bist du, Tell?
Der Vater kommt! Es nahn in frohem Zug
Die Eidgenossen alle –

PARRICIDA *(verhüllt sich)*: Wehe mir!
Ich darf nicht weilen bei den Glücklichen.

---

4 **Windeswehen** Windlawinen

TELL: Geh, liebes Weib. Erfrische diesen Mann,
Belad ihn reich mit Gaben, denn sein Weg
Ist weit, und keine Herberg findet er.
Eile! Sie nahn.

HEDWIG: Wer ist es?

TELL: Forsche nicht!
Und wenn er geht, so wende deine Augen,
Dass sie nicht sehen, welchen Weg er wandelt!

*(Parricida geht auf den Tell zu mit einer raschen
Bewegung, dieser aber bedeutet ihn mit der Hand und
geht. Wenn beide zu verschiedenen Seiten abgegangen,
verändert sich der Schauplatz, und man sieht in der*

## Letzten Szene

*den ganzen Talgrund vor Tells Wohnung, nebst den
Anhöhen, welche ihn einschließen, mit Landleuten
besetzt, welche sich zu einem Ganzen gruppieren. Andre
kommen über einen hohen Steg, der über den Schächen
führt, gezogen. Walther Fürst mit den beiden Knaben,
Melchthal und Stauffacher kommen vorwärts, andre
drängen nach; wie Tell heraustritt, empfangen ihn alle
mit lautem Frohlocken.)*

ALLE: Es lebe Tell! der Schütz' und der Erretter!

*Indem sich die vordersten um den Tell drängen und ihn
umarmen, erscheinen noch Rudenz und Bertha, jener die
Landleute, diese die Hedwig umarmend. Die Musik vom
Berge begleitet diese stumme Szene. Wenn sie geendigt,
tritt Bertha in die Mitte des Volks.*

10 **bedeuten** etwas zu verstehen geben

BERTHA: Landleute! Eidgenossen! Nehmt mich auf
In euern Bund, die erste Glückliche,
Die Schutz gefunden in der Freiheit Land.
In eure tapfre Hand leg ich mein Recht,
5 Wollt ihr als eure Bürgerin mich schützen?

LANDLEUTE: Das wollen wir mit Gut und Blut.

BERTHA: Wohlan!
So reich ich diesem Jüngling meine Rechte,
Die freie Schweizerin dem freien Mann!

10 RUDENZ: Und frei erklär ich alle meine Knechte.

*Indem die Musik von neuem rasch einfällt, fällt der Vorhang.*

# Friedrich Schiller –

## Daten zu Leben und Werk

| | |
|---|---|
| **10.11.1759** | Geburt von Johann Christoph Friedrich Schiller in Marbach/Neckar<br>Vater: Johann Caspar Schiller (1723–1796), Offizier, Wundarzt; auch später noch (ab 1775) im herzoglichen Dienst als Garteninspektor und Verwalter („Intendant")<br>Mutter: Elisabetha Dorothea Schiller, geb. Kodweiß (1732–1802) Tochter eines Marbacher Bäckers und Gastwirts<br>Geschwister: 6 Schwestern (2 davon sterben früh) |
| **1764/1767** | Umzüge der Familie Schiller in Württemberg: zunächst nach Lorch, dann nach Ludwigsburg |
| **1772** | Erste, nicht mehr erhaltene, Theaterstücke entstehen |
| **1773** | Beginn der Ausbildung an der „Herzoglich-Württembergischen Militairischen Pflanzschule" (der „Karlsschule") in Stuttgart |
| **1776** | Erste Veröffentlichung: Gedicht *Der Abend* im „Schwäbischen Magazin" |
| **1777** | Beschäftigung mit modernen deutschen Autoren des Sturm-und-Drang und mit dem englischen Dramatiker William Shakespeare |
| **1780** | Schulabschluss<br>Regimentsmedikus (= Militärarzt) im Dienst des Herzogs Karl Eugen in Stuttgart |
| **1781/82** | Druck (1781) und Uraufführung (1782) des ersten Dramas: *Die Räuber* |
| **1782** | Arrest (14 Tage) wegen der unerlaubten Reise nach Mannheim (ins „Ausland") zur Uraufführung der *Räuber*<br>Schreibverbot bei angedrohter Festungshaft |
| **1782/83** | (Erster) Theaterdichter in Mannheim<br>*Die Verschwörung des Fiesco zu Genua* (UA[1] 1783) |
| **1784–88** | Häufige Umzüge (u.a. nach Leipzig, Dresden, Rudolstadt, Weimar)<br>*Kabale und Liebe* (UA 1784)<br>*Der Verbrecher aus verlorener Ehre* (Erzählung, 1785)<br>*An die Freude* (Gedicht, 1786; später Vertonung durch Beethoven)<br>Don Karlos (UA 1787) |
| **1789** | Professur für Geschichte an der Universität Jena<br>Umzug nach Jena |
| **1790** | Heirat mit Charlotte Luise Antoinette von Lengefeld (1766–1826)<br>*Geschichte des Dreißigjährigen Krieges*, Band 1 und 2 erscheinen |
| **1791** | Lebensgefährliche Erkrankung an Lungen- und Rippenfellentzündung |

[1] UA=Uraufführung

| 1792 | Erhalt der französischen Staatsbürgerschaft von der französischen Nationalversammlung (zusätzlich zur Staatsbürgerschaft von Sachsen-Weimar) |
|---|---|
| 1793 | Besuch bei den Eltern in Württemberg |
| **2** **1794** | Briefwechsel und Freundschaft mit Johann Wolfgang von Goethe (1794–1832) |
| 1796/97 | „Dichter-Wettstreit" mit Goethe Im „Balladenjahr" (1797) entstehen u.a.: *Der Taucher / Die Kraniche des Ibykus / Der Handschuh / Der Ring des Polykrates* |
| **3** **1797** | Bekanntschaft mit der Geschichte vom historischen Tell durch die Reise Goethes in die Schweiz |
| 1799 | Übersiedlung nach Weimar *Wallenstein*-Trilogie |
| 1800 | *Maria Stuart* (UA) |
| **4** **1801** | Pläne zum *Wilhelm Tell* *Die Jungfrau von Orléans* (UA) |
| 1802 | Erhebung in den Adelsstand des „Heiligen Römischen Reiches" durch Kaiser Franz II. |
| **5** **1803** | Intensive Arbeit am *Wilhelm Tell* |
| **6** **1804** | Reise mit Familie nach Berlin Ehrung durch das preußische Königshaus *Wilhelm Tell* (UA) Buchveröffentlichung im Verlag Cotta |
| 1805 | 29.4.1805: Letzter öffentlicher Auftritt; Fieberanfall *Demetrius* (Drama, unvollendet) |
| 9. Mai 1805 | Tod im Alter von erst 45 Jahren |

→ Zu den unter dem Lupensymbol „vergrößerten" Jahreszahlen findest du Erläuterungstexte und Informationen im Anschluss an diese Übersicht.

##  Was passierte in einer „Pflanzschule"?

Schiller war 13, als der Herzog Karl Eugen dem Vater befahl, den Sohn auf seine Schule, die „Herzoglich-Württembergische Militairische Pflanzschule" zu schicken. „Pflanzschule" war damals ein allgemeiner Begriff für eine Ausbildungsstätte, an der man „studierte". Auf dem Lehrplan der Militärakademie des Herzogs (kurz „Karlsschule" genannt) standen „Sitten, Sprachen, Künste und Wissenschaften". Schiller wurde zuerst für das Fach Jura eingeteilt, konnte aber zwei Jahre später zum neu eröffneten Fach Medizin wechseln.

Der Herzog hatte die Schule gegründet, weil er die Ausbildung in Württemberg verbessern wollte und er sich treu ergebene Untertanen erhoffte. Dazu wurden die Schüler im Militärstil gedrillt: Es herrschte Uniformzwang, eine Perücke war zu tragen, strikte Disziplin und Gehorsam waren die obersten Gebote. Die Schule war in einem ehemaligen Kasernengebäude gleich hinter dem herzoglichen Schloss Solitude untergebracht. Zu ihr gehörte ein Internat, in dem auch Schiller wohnte.

**Tagesablauf:**

„Aufstehen sommers 5 Uhr, winters 6 Uhr, danach Musterung, Rapport, Frühstück, danach Unterricht 7–11 Uhr, 11–12 Uhr Montur säubern und Musterung durch den Herzog. 13 Uhr Mittagessen, anschließend abteilungsweiser Spaziergang in Gegenwart von Aufsehern und erneut Unterricht von 14–18 Uhr. An eine Erholungsstunde von 18–19 Uhr schlossen sich Musterung, Rapport und Abendessen um 19.30 Uhr an. Schlafengehen war für 21 Uhr anberaumt. An Sonntagen waren größere Spaziergänge unter Aufsicht von Offizieren möglich. Besuche der Angehörigen wurden ebenso selten gestattet wie Urlaub. Ferien gab es keine."

## 2 Vom Rebell zum Klassiker

Schiller hatte sich 1787 zum ersten Mal längere Zeit in Weimar aufgehalten. Aber erst zwölf Jahre später zog er (vom nahe gelegenen Jena) endgültig in die kleine thüringische Residenzstadt um. Weimar war damals ein bedeutendes kulturelles Zentrum: Nicht nur Johann Wolfgang von Goethe (der Autor, Theaterdirektor, thüringische Minister), sondern auch viele weitere bedeutende Philosophen, Naturwissenschaftler und Dichter wie Herder oder Wieland trafen sich dort. Die Begegnung Schillers mit Goethe führte allerdings nicht unmittelbar zu einer engen Freundschaft. Erst langsam näherten sich die beiden Dichter einander an, tauschten sich dann aber intensiv über ihre literarischen und philosophischen Arbeiten aus. Schiller gab ab 1795 „Die Horen", eine schnell anerkannte Zeitschrift heraus, für die er nicht nur Goethe als Mitarbeiter gewinnen konnte, sondern eine ganze Reihe weiterer bekannter Personen wie z.B. den preußischen Gelehrten und Schriftsteller Wilhelm von Humboldt. In den „Horen" kamen all die Autoren zu Wort, die ein gemeinsames Ideal teilten: Die Kunst sollte dazu beitragen, den Menschen zu vervollkommnen. Hatte der junge Schiller mit seiner Kunst noch gegen Zwänge rebelliert und für Freiheit und Selbstbestimmung des Menschen gekämpft (z.B. mit seinem ersten Schauspiel *Die Räuber*), so lauteten seine Ideale nun Harmonie, Gerechtigkeit, Menschlichkeit und Frieden. Das verwunderte nicht, denn die Französische Revolution war vorbei und die Berichte vom anschließenden Terror noch frisch. Im Vergleich hierzu war Weimar eine kleine friedliche Insel. Dies begünstigte auch die ab 1795 sehr produktive und intensive Zusammenarbeit zwischen Goethe und Schiller. Diese Phase wurde rückblickend als „Weimarer Klassik" bezeichnet. Sie endete nach 10 Jahren, als Schiller 1805 an den Folgen einer Lungenentzündung starb.

## 3 Warum schreibt Schiller eine Schweizer Geschichte?

Schiller selbst ist niemals in die Schweiz gereist. Es war Goethe, der 1797 dieses Land besuchte und seinem Freund Schiller darüber berichtete. Auf jener Reise hatte Goethe Genaueres über den historischen Wilhelm Tell erfahren. An Schiller schrieb er, dass ihm dieser Stoff „viel Zutrauen eingeflößt" habe und dass es sich lohnen könnte, die „Fabel vom Tell" poetisch zu bearbeiten, d. h. aus diesem Material ein Kunstwerk zu entwickeln. Nach Goethes Rückkehr wurde dieser Plan mit Schiller besprochen. Zunächst gab es keine Entscheidung darüber, welcher der beiden Dichter den Tell-Stoff zu einem Drama oder einer Ballade entwickeln würde. Später jedoch überließ Goethe den Tell Schiller zur Bearbeitung – „gerne und förmlich", wie er in seinen Erinnerungen schrieb. Und schon 1801 kam in Weimar das Gerücht auf, Schiller würde an einem „Tell"-Drama arbeiten. Zunächst wies dieser einen solchen Plan aber noch von sich.

## 4  Quellenstudium und Dichtung

Schiller, der ja auch Historiker war und eine Professur für Geschichte an der Universität in Jena hatte, begann seine Arbeit mit einem gründlichen Studium der geschichtlichen Quellen. 1802 entlieh er sich aus der Weimarer Bibliothek Johannes von Müllers Darstellung der Schweizer Geschichte, die 1786 erschienen war. Er las Bücher zur Entstehung und Entwicklung der Schweiz, zu ihrer Wirtschaft, zur Politik und Geografie, und er bat den Verleger Cotta um eine „Spezialkarte" der Schweizer Kantone. Außerdem suchte er nach Zeugnissen zur Sage von Wilhelm Tell. Besonders intensiv las er hierzu das *Chronicon Helveticum* von Ägidius Tschudi. Dieses Buch stammte ursprünglich aus dem Jahre 1570. Mehr als 150 Jahre später, 1734, wurde es in der Schweiz nochmals gedruckt.

Schiller arbeitete in seinem Werk die historisch belegbaren Fakten möglichst genau heraus. Er beschrieb die Geschichte von Tell und dem Befreiungskampf der Schweizer gegen die Willkürherrschaft der Habsburger ab Anfang des 14. Jahrhunderts.

Aber die Fakten allein ergaben kein Schauspiel. Die dichterische Leistung bestand daher vor allem in der sprachlichen Gestaltung der Figuren, den mitreißenden Dialogen und dem spannungsvollen Aufbau des Stückes. Schillers erklärtes Ziel war es, Figuren zu schaffen, die menschliche Größe, hohe Moral und kluge Überlegung zeigen. Figuren also, deren Haltungen *jederzeit* als vorbildhaft gelten können.

## 5  Was geschah im 14. Jahrhundert in der Schweiz?

Die drei Schweizer Kantone Uri, Schwyz und Unterwalden baten Anfang des 14. Jahrhunderts den deutschen König – den aus der Dynastie der Habsburger abstammenden König Albrecht –, einen *Reichs*vogt als höchsten Gerichtsherren einzusetzen. Ein Reichsvogt war ein Beamter des „Heiligen Römischen Reichs deutscher Nation", zu dem die Kantone damals gehörten. Die Kantone konnten auf die Einsetzung eines Reichsvogts bestehen, denn sie besaßen die sogenannte „Reichsunmittelbarkeit". D. h. sie hatten nur den König (bzw. – wenn er vom Papst gekrönt wurde – den Kaiser) und seine Beamten als Machtinstanz über sich, mussten sich jedoch keinem weiteren Herrscher beugen. Dennoch schickte der deutsche König zwei Habsburger - Gessler und Landenberg – als *Land*vögte. Diese übernahmen die direkte Herrschaft über die Schweizer Kantone. Sie waren zwar selbst dem König untertan, stellten jedoch für die Schweizer eine zusätzliche Machtinstanz dar. Die beiden Landvögte sowie ein weiterer von ihnen eingesetzter Burgvogt errichteten eine Gewaltherrschaft in den Kantonen. Die Schweizer beschwerten sich beim König darüber – aber vergeblich. Freie Bauern, Handwerker und der heimische Adel versammelten sich daraufhin mehrfach auf dem Rütli und beschlossen, für die Bewahrung ihrer Rechte und Freiheiten zu kämpfen. Sie zögerten jedoch, den bewaffneten Kampf tatsächlich zu beginnen. Erst durch die Ereignisse um Wilhelm Tell erhöhte sich der Druck zu handeln. Die Ermordung Gesslers leitete den Aufstand gegen die Vögte ein.

##  Berlin und Weimar konkurrieren: Wo durfte der „Tell" zuerst auf der Bühne gezeigt werden?

Während der Arbeit am *Wilhelm Tell* korrespondierte Schiller oft mit dem Schauspieler und Autor August Wilhelm Iffland (1759–1814). Iffland kannte er schon seit der Uraufführung seines ersten Theaterstücks *Die Räuber*, denn darin hatte dieser die Hauptfigur Karl Moor gespielt.

Inzwischen war Iffland Theaterintendant in Berlin geworden und wollte den *Wilhelm Tell* dort gerne als Erster auf die Bühne bringen. Allerdings hatte er an einigen Stellen „politische Bedenklichkeiten", wie er Schiller schrieb. Er schickte sogar heimlich seinen Theatersekretär Pauly mit einem Fragebogen zu Schiller nach Weimar. Darin brachte er z.B. Bedenken gegen die Rede Stauffachers vor („eine Grenze hat Tyrannenmacht", 2. Aufzug, 2. Szene), weil er meinte, dies könnte Teile des Publikums zu „tumultarischem Aufjauchzen" verleiten. Diese Einwände ließ Schiller unbeantwortet, denn damals stand für ihn bereits fest, sein Stück nicht in Berlin, sondern in Weimar herauszubringen. Goethe war es, der das fertige Stück als Erster erhielt. Im März 1804 begannen intensive Aufführungsvorbereitungen und Proben, die Schiller und teilweise auch Goethe leiteten. Schon nach knapp 14 Tagen, am 17. März 1804, war Premiere in Weimar. In Berlin wurde *Wilhelm Tell* erst drei Monate später aufgeführt. Dort ließ es sich Intendant Iffland dann nicht nehmen, die Rolle des Tell selbst zu spielen.

Das Stück wurde bei der Erstaufführung in Weimar vom Publikum sehr positiv aufgenommen. Es gab aber auch Kritik an der Aufführungsdauer von noch immer 5 1/2 Stunden, obwohl Schiller zuvor sogar noch gekürzt hatte. Henriette von Knebel berichtete hierzu:

Da ich den großen, man könnte ihn auch den langen „Tell" nennen, glücklich ausgehalten habe, so kann ich ihn auch loben. (...) Fragst du endlich nach den Dialogen, so muss ich mit Seufzen antworten: Zu lang, viel zu lang! Wir haben für zwei Tage genug gehabt und sind den Montag, da es zum andernmal gegeben wurde, weggeblieben.

Quellen:
- Stade, Heinz: Unterwegs zu Schiller; Berlin: Aufbau Taschenbuch Verlag, 2005.
- Fleig, Anne: Handlungs-Spiel-Räume. Würzburg 1999
- v. Münch, Ingo: Die deutsche Staatsangehörigkeit, Berlin 2007, S. 187.
- Schiller, Sämtliche Werke, Bd. 5 (Bearbeiter: Matthias Oehme), Berlin und Weimar (Aufbau-Verlag) 1990.

Weimar. Schillers Arbeitszimmer.

Mir fehlt heute einfach die Inspiration ...

POST!

Ah, eine Karte von meinem alten Freund Johann Wolfgang!

Hach, wie idyllisch und anregend eine Reise in die Schweiz sein muss ...

GRÜßE AUS DER SCHWEIZ

... sicher beflügelt die gute Bergluft den Geist ...

In einer Schweizer Kneipe.

Welch ein schönes Land ihr doch habt ...

...so wunderbar ...